La fille
à la robe rouge

*et autres
contes
sociaux*

éditions
PRATIKO

LIZANNE CASTONGUAY

La fille
à la robe rouge

*et autres
contes
sociaux*

**éditions
PRATIKO**

© 2010 Éditions Pratiko

Éditique :

mdg communication + design inc

Diffusion pour le Canada :

DLL PRESSE DIFFUSION INC.
1665, boul. Lionel-Bertrand
Boisbriand (Québec) J7H 1N8
info@dllpresse.com

Distributeur pour le Canada :

PROLOGUE INC
1650, boul. Lionel-Bertrand
Boisbriand (Québec) J7H 1N7

ISBN 978-2-922889-61-1

Dépôt légal : 4ᵉ trimestre 2010
Bibliothèque nationale du Québec
Bibliothèque nationale du Canada

Table des *matières*

1
Le volcan

à Rémi et Olivier,
vous qui entrez dans un monde
rempli de volcans

Je suis en colère.

Je réalise que j'ai toujours été en colère. D'aussi loin que je me souvienne, j'ai toujours été ainsi, et ce, depuis les premières secondes, quand un docteur m'a frappée pour m'introduire dans la vie. Dès cet instant, tout n'a été qu'une succession de colères et d'animosités face à chacun.

À un an, j'étais en colère quand ma mère me posait dans un petit couffin étroit et que je perdais la tiédeur de ses bras.

À deux ans, j'étais en colère car je n'arrivais pas à me faire comprendre des autres et je n'arrivais pas à me déplacer comme je le voulais.

À trois ans, j'étais en colère d'avoir eu à changer de maison pour une plus grande, dont les immenses pièces vides me terrorisaient.

À quatre ans, j'étais frustrée de voir que ma mère et mon père donnaient toute leur attention à ma nouvelle petite sœur. J'étais jalouse de l'attention qu'on portait à cette petite chose aussi insignifiante, qui ne faisait que chialer et se plaindre de tout. Mais ce n'était pas ma petite sœur Chloé, le problème. Non, car cette petite larve et moi avions un point en commun : la colère. Je savais que lorsqu'elle pleurait, c'était parce qu'elle était furieuse. Furieuse qu'on ne la prenne pas au sérieux. Je la comprenais, j'étais comme elle. Enfin... presque. Avec l'arrivé de Chloé, les choses étaient devenues différentes. J'ai réalisé que j'étais maintenant une grande sœur. Cela impliquait que je devais agir comme une grande sœur. Cela voulait dire que je devais donner l'exemple. En d'autres mots, je devais agir comme une adulte. Et j'ai appris une autre chose très importante à quatre ans : être une adulte, c'est vraiment chiant.

Pour un enfant, un adulte est tout d'abord un protecteur. Quelqu'un qui le protège et qui veille sur lui. C'est aussi quelqu'un qui lui donne à manger, qui le lave, qui l'amuse et le borde le soir. Puis, lorsque l'envie les prend, ils peuvent être sévères, méchants et injustes. Ils sont aussi sensé nous aimer, mais ça peut être facultatif. Donc, pour moi, agir comme une adulte signifiait être gentille à l'occasion et sévère le reste du temps. Je me trompais.

J'ai réalisé qu'agir comme une adulte impliquait avoir des responsabilités, être responsable. C'est un grand mot pour une enfant de quatre ans. Et les adultes s'étonnent qu'un enfant ait de la misère à le comprendre. La première fois que j'ai entendu ce mot, « responsable », je croyais qu'il signifiait « avoir des réponses ».

J'ai eu un peu peur, car je ne savais pas grand-chose. J'étais en colère tout le temps, alors je n'avais pas le temps de connaître et de donner des réponses aux questions de ma petite sœur. J'avais quatre ans. Je ne savais pas pourquoi le ciel était bleu ou pourquoi les avions volaient contrairement aux voitures… J'appréhendais avec angoisse le moment où ces questions viendraient. C'est sans doute pour cela que j'ai commencé à lire tous les livres qui se trouvaient dans ma petite bibliothèque. Au dernier livre, je n'avais toujours pas de réponses aux grandes questions de la vie, mais je pouvais vous imiter le cri de tous les animaux de la ferme et de la jungle.

C'est pour cela qu'à cinq ans, j'étais en colère contre le mot « responsabilité ». Il ne se passait pas une journée sans que ce mot-là ne sorte de la bouche de mes parents.

— Tu dois ramasser tes jouets, me disait ma mère.

— Pourquoi ? rouspétais-je.

— Parce que tu dois apprendre à faire le ménage et à être responsable, répliquait-elle.

Ou encore :

— Ne marche pas à quatre pattes sur le gazon avec ta robe, me criait mon père.

— Pourquoi ? me plaignais-je.

— Parce que tu es responsable de ce qui t'appartient et que ça serait dommage de l'user, répondait-il.

Et même lorsque je ne faisais rien de mal, ils trouvaient le moyen de mettre ce mot dans la conversation. Juste pour m'énerver.

— Regarde, elle a ramassé tous ses jouets, lançait mon père en me tapotant le dos.

—Elle devient une grande fille responsable, s'extasiait ma mère.

Je détestais ce mot et tous les synonymes qui s'en rapprochaient, et Dieu sait que les adultes en ont trouvé : « charge », « devoir », « obligation », et même « adulte ».

Je ne blague pas, *adulte* est un synonyme de *responsable*. Quelle ironie ! Toujours est-il que j'ai réalisé qu'un autre mot se joignait à responsabilité : « contrainte ». À cinq ans et demi, c'est ce mot que je détestais et qui me mettait hors de moi. Les « tu ne peux pas... » ou les « tu ne dois pas... » me rendaient folle.

Mais le pire, c'était l'explication qu'on me donnait face à mon « pourquoi ? ».

— Parce que tu es grande maintenant.

— Parce que tu dois donner l'exemple à Chloé.

— Parce que tu es une grande fille responsable maintenant.

Lorsqu'un adulte dit cela à un enfant de cinq ans et demi, croit-il vraiment que cela a un sens pour lui? À cet âge-là, on ne souhaite que s'amuser, découvrir et expérimenter. On se fiche pas mal de tout et surtout de donner l'exemple à sa petite sœur de deux ans, qui est seulement dans sa phase de colère sur le langage et la mobilité.

Souvent j'aurais donné tous mes jouets en échange de pouvoir crier toute la rage qui me tordait l'estomac. Malheureusement, à mon âge, on nous avait déjà enseigné à ne pas crier pour rien sous peine de subir une punition très déplaisante. D'après un adulte, un enfant n'a pas le droit d'être en colère, donc je devais camoufler qui j'étais. Mais le cacher ne veut pas dire le détruire. Ça me tordait tellement en dedans que des fois, ça en faisait mal! Dans ces moments-là, je ne pouvais pas m'empêcher et je criais pour évacuer la colère de devoir retenir ma colère.

Quand je me laissais aller, ils me donnaient une bonne fessée et m'enfermaient dans ma chambre sans repas. Ils me disaient que les crises, c'était pour les bébés et que les adultes savaient être civilisés (chose qui me fut démentie dans mes cours d'histoire). Mais à cet âge là on se soumettait à la raison plus facilement à cause de notre petite taille, symbole international de la faiblesse. Les géants seront toujours les vainqueurs et l'histoire de David et Goliath ne fut qu'un mythe écrit par une petite personne qui était écœurée de se faire persécuter.

Donc, pour entrer dans le moule de la société on apprend à ne pas montrer sa colère et on décide de la taire et de l'ignorer. C'est un autre pas vers « l'adulte ».

C'est à ce moment-là que j'ai décidé d'agir comme une adulte.

Cependant, à six ans, la rage est revenue comme un volcan en ébullition. Rouge d'exaspération et fulminante, j'étais en colère qu'on ne me considère pas comme une adulte alors que j'avais passé un an à m'y appliquer.

J'avais joué le jeu. J'avais pris mes responsabilités, j'avais caché mes crises et j'avais donné l'exemple à Chloé, qui était dans une période d'accalmie puisqu'elle n'avait jamais vécu la colère de changer de maison pour une plus grande. Pendant environ six mois, j'ai été parfaite !

Pourtant, il est triste de constater qu'on ne me traitait pas comme une adulte. J'ai alors pensé que je devais peut-être ressembler à une grande personne. Un jour, j'empruntai donc les bijoux et les souliers de ma mère, ainsi que son maquillage. J'aimais bien le rouge qu'il fallait se mettre sur les joues, et les souliers me faisaient paraître plus grande. Mais je n'aimais pas le noir que ma mère se mettait sur les yeux. Ça me faisait pleurer. Pour accomplir l'adulte en moi, je décidai également de faire le ménage, le repas et de m'occuper des enveloppes, comme je voyais souvent mes parents le faire. Je voulais leur faire une surprise. Ma mère était partie faire des courses avec Chloé et mon père s'occupait de la pelouse et du jardin. Je m'attendais à des applaudissements, ou au moins à un merci de leur part, pour tout l'ouvrage que j'avais accompli alors qu'eux sortaient et jouaient dehors.

Mais en entrant dans la maison, ma mère ne m'a pas applaudie et elle ne m'a même pas dit merci. Elle a plutôt crié. Crié contre le fait que de la mousse à vaisselle avait coulé sur tout le carrelage de la cuisine (ce n'était pas de ma faute, on ne comprend pas le principe des dosages à six ans), crié contre la farine qui couvrait la moitié de la table (il faut dire qu'il était lourd ce sac), crié contre les factures qui étaient remplies de gribouillis (je ne savais pas où il fallait signer) et crié contre le fait que j'avais joué avec son maquillage très cher.

Les nombreux cris de ma mère ont affolé mon père, qui s'est précipité dans la maison. Lui aussi a crié, pour les mêmes raisons que ma mère, sauf pour le maquillage, car ça lui était complètement indifférent (ce n'était pas son argent).

Comme récompense pour tous mes efforts, j'ai eu une fessée extrêmement douloureuse et j'ai dû passer le reste de la journée enfermée dans ma chambre. J'ai beaucoup pleuré, car je ne voulais que leur rendre service. Je voulais simplement être une adulte. Après tout, c'était bien ce qu'eux voulaient, non?

J'ai donc beaucoup réfléchi et j'en suis arrivée à la conclusion que j'étais peut-être allée trop vite. J'ai réalisé que mes parents avaient dû avoir peur. Peur que je grandisse trop vite et que je les remplace. Car si jamais ils cessaient d'être les parents, que seraient-ils? Sans Chloé et moi, ils ne seraient rien. Ils devaient avoir peur de devenir inutiles. Je ne devais pas brûler les étapes, mais les accommoder. J'ai alors décidé d'agir comme Chloé pour leur faire plaisir et les rassurer.

Quelques jours après l'incident de mon expérience du monde adulte, je suis retombée dans celui de l'enfance. J'ai passé tout l'été avec ma petite sœur, à apprendre comment redevenir une enfant, car lorsqu'on devient responsable à quatre ans, on a toute une rééducation à faire.

Ça a été dur et c'était parfois ennuyant, mais je voyais que je faisais plaisir à mes parents. Et puis, j'aimais bien cela, au fond de moi. Je dirais que l'été de mes six ans a été l'unique période où je n'étais pas en colère. Une période qui a pris brutalement fin avec le mot que j'ai ardemment détesté à la fin de mes six ans et pour le restant de ma vie : « école ».

À l'automne, mes parents m'ont envoyée à l'école. Au début, je ne savais pas trop ce que c'était, puisqu'étant encore une enfant, je ne pouvais pas imaginer passer toute ma journée assise sur un banc d'école, à écouter une seule personne sans pouvoir parler.

La première journée s'était plutôt mal passée. Je n'aimais personne, car ils me semblaient tous insignifiants. Peut-être était-ce parce que j'avais un an de plus qu'eux. Comme je suis née en octobre, mes parents m'ont fait comprendre que j'avais manqué une année à cause de mon âge. Merci Seigneur, j'ai eu un sursis. Mais en fin de compte, ça m'avait nui, car je me retrouvais isolée des autres, à cause de mon âge.

De plus, mon enseignante, une vieille grosse bonne femme, avait une voix stridente et puait un parfum bon marché. Elle criait contre moi lorsque je ne l'écoutais pas ou lorsque je parlais. Mais à quoi s'attendait cette bonne femme ? J'avais six ans et tout ce à quoi j'aspirais, outre la colère, c'était de courir et de jouer dehors pour profiter du soleil qui était alors mon meilleur ami.

Lorsque je suis revenue de ma première journée, je croyais que je n'aurais plus à y retourner. Que ce n'était qu'une mauvaise sortie et que mes parents ne m'y amèneraient plus jamais, comme lorsque j'ai failli me noyer à la mer. Quelle ne fut pas ma désagréable surprise lorsque le lendemain, ma mère me réveilla pour que j'y retourne !

La colère avait de nouveau bouilli en moi et était sortie comme un torrent de lave. J'ai crié, hurlé et pleuré. Je me débattais comme le diable en jetant mes peluches au visage de ma mère. J'étais si agitée que ce fut mon père qui me calma.

Il m'expliqua que tout le monde devait aller à l'école. Il m'expliqua que j'avais de la chance d'y aller et que certains enfants, dans d'autres pays, ne pourraient jamais avoir le bonheur que j'avais. Il me rassura en disant que le premier jour était toujours le pire, mais qu'ensuite, cela devenait amusant. Mon père me dit que les meilleurs moments de sa jeunesse avaient été vécus grâce à l'école. Il termina en me disant que je me ferais plein d'amis et que je serais heureuse d'aller à l'école, le lendemain.

Cette journée-là, j'ai appris un nouveau mot : « mensonges », avec un « s » à la fin.

Au deuxième jour, j'étais dans une colère noire, car je savais que certains enfants n'iraient jamais à l'école. C'était injuste pour moi. J'ai compris ce jour-là qu'il n'y avait aucune justice pour les colériques comme moi.

À sept ans, j'ai développé une hargne contre mes camarades féminins de mon âge. Je les trouvais fragiles, précieuses, inintéressantes et futiles. Je ne voyais pas l'intérêt de me tenir avec elles, puisqu'elles ne voulaient jamais jouer au ballon ou grimper aux arbres pour se cacher des monstres.

Mais je n'aimais pas pour autant les garçons. Ceux-ci étaient vulgaires et méchants, et ils n'arrêtaient pas de me tirer les cheveux en me criant que je n'étais qu'une « fi-fille ». Je fulminais devant tout individu de l'école qui osait me regarder. Tous, sauf mon nouveau meilleur ami, qui avait pris la place du soleil, Nicolas. Car contrairement au soleil, je pouvais voir

Nicolas et jouer avec lui, même les jours de pluie.

Il était un petit garçon timide et maigrelet. Il ne parlait pas fort et c'était le plus petit de la classe, y compris des filles. C'est pour cela que les autres garçons le malmenaient un peu. C'est ma colère face à cette injustice qui m'a conduite à lui.

Lors d'une discussion, Nicolas m'apprit que lorsqu'il est né, il avait eu un problème. Le médecin ne l'avait pas frappé assez fort, car il ne s'était jamais mis en colère et il n'avait jamais crié. Il m'expliqua qu'en venant au monde, il avait eu de la difficulté à respirer et que cela avait eu des répercussions sur son cerveau et, par la suite, sur sa croissance. Durant l'année, j'ai effectivement remarqué qu'il était le plus lent en gym et qu'il avait de la difficulté à retenir ce que l'enseignant expliquait. Durant son année scolaire, Nicolas n'a jamais pu finir de lire un livre, aussi simple soit-il.

Ce fut aussi la seule année où Nicolas et moi fûmes dans la même classe, car aux examens finaux, il échoua à ses contrôles et on dut le mettre dans une classe spécialisée.

J'étais furieuse devant cet affront, car contrairement à tous les autres enfants de ma classe, Nicolas était le plus doué en dessin. Personne n'arrivait à peindre un arbre comme lui et personne n'était aussi gentil que lui, mais il était celui qu'on mettait dans une classe spéciale. Entre vous et moi, c'était tout les autres qui avaient un trouble de comportement.

Voir Nicolas partir m'a fait beaucoup de peine et a renforcé ce sentiment d'injustice qui grandissait lentement en moi. Car l'injustice est directement associée à la colère. Ça, je l'ai appris à mes huit ans. Et c'est à cet âge que j'ai décidé ce que je voulais faire plus tard. Je voulais devenir une criminelle.

En troisième année, un policier était venu parler de son métier à la classe. Tout le monde était impressionné par ce qu'il faisait, mais moi je m'intéressais davantage aux gens qu'il arrêtait. J'aurais aimé qu'il approfondisse sur ce sujet, mais mon enseignant pensait que ce n'était pas une bonne idée. L'imbécile !

Toujours est-il que de retour chez moi, j'avais en tête mon projet de future criminelle. J'avais décidé de m'appliquer à la tâche et de faire un peu de recherche. C'est alors que le journal et la télévision m'apparurent comme une mine d'or en information sur mon futur métier. Les journaux regorgeaient d'histoires de meurtriers, de voleurs, de violeurs et de plusieurs autres personnages tout aussi fascinants. Et à la télévision, on en parlait aussi, et en plus, il y avait des images (pas beaucoup, mais il y en avait).

J'ai passé plusieurs semaines à faire des recherches et plus j'avançais, plus je réalisais qu'il y avait une foule de débouchés qui s'offraient à moi. Il y avait tellement de choix que je ne savais pas par où commencer. Certains choix furent éliminés d'eux-mêmes. Je ne pouvais pas devenir pédophile, étant moi-même une enfant. Ni être violeur, parce que premièrement, j'étais une fille, et deuxièmement, je croyais qu'il fallait avoir un âge minimum pour postuler. Je me disais que si je ne trouvais pas mieux, à seize ans, je pourrais toujours envisager cette solution en dernier recours.

J'ai aussi pensé me lancer dans le trafic de la drogue, mais ça semblait trop simple. Si on est moindrement attentif, on peut acheter de la Coke dans tous les dépanneurs et les magasins de nourriture. On peut même en avoir au restaurant. J'avais tenté une expérience. Durant l'été, j'en avais vendu en face de chez moi, dans l'espoir que la police m'arrête. Je m'étais même dénoncée, mais au lieu de venir m'arrêter, ils sont venus m'en acheter un verre, en rigolant et en disant que j'étais mignonne.

Ce fut la deuxième révélation de mes huit ans : la police ne sait pas reconnaître un criminel lorsqu'il est en face de lui.

Que me restait-il, ensuite, pour ma carrière ? Voleur ? Je détestais le noir et la nuit, je n'arrivais pas à rester réveillée. Meurtrière ? J'y avais longuement pensé et je m'y étais même laissé tenter, jusqu'à ce que j'apprenne un nouveau mot : « pyromane ».

Pyromane. Ce mot avait allumé en moi un désir ardent, pour ne pas dire brûlant. La passion s'est insurgée en moi et j'ai compris que c'était enfin le métier qu'il me fallait. J'étais émerveillée par le feu et lorsqu'on montrait un incendie aux nouvelles télévisées, j'en étais hypnotisée. Moi qui me considérais comme un volcan, je trouvais que tout m'avait prédestinée à cette carrière.

Je jubilai pendant une journée à cette nouvelle idée. J'étais enfin une adulte avec un métier. Et un métier que j'aimais ! J'étais une pyromane. J'en étais fière. Si fière que je n'en avais pas fermé l'œil de la nuit. J'étais trop excitée pour attendre, et aux petites heures du matin, je décidai de me mettre à la tâche tout de suite.

Je me levai silencieusement, guidée par la faible lumière de la lune et des lampadaires qui se trouvaient en face de ma maison. En premier, j'ai été fermé la porte de la chambre de ma petite sœur pour être sûre qu'elle ne soit pas dans mes pattes. Chloé avait déjà quatre ans et me suivait partout comme un pot de colle. Elle m'énervait tellement, surtout parce qu'elle ne connaissait pas la rage d'être responsable et de devoir donner l'exemple. Mais aussi parce qu'elle ne m'avait jamais demandé pourquoi le ciel était bleu. J'ai lu tous ces livres pour rien !

Ensuite, j'ai fermé la porte de mes parents, car s'ils me surprenaient, ils seraient furieux. Je les entendais souvent me parler de mon futur. Ils me prédisaient de grandes études et des carrières ennuyantes, comme avocate, enseignante ou infirmière. C'est pour cela que j'avais préféré ne pas leur faire part tout de suite de mes intentions de devenir criminelle. Ils l'auraient mal pris, je crois.

Une fois les portes des chambres fermées, je me suis rendue dans la cuisine. Sur la table, il y avait encore les bougies qui avaient servi au repas romantique de mes parents. Une belle coïncidence, dira-t-on. Mais j'avais surtout été chanceuse d'apercevoir l'endroit où ma mère avait rangé les allumettes.

J'ai pris une chaise afin de pouvoir grimper sur le comptoir pour atteindre l'étagère la plus haute. Sur la pointe des pieds, j'ai déplacé des tasses à café et j'ai pu mettre la main sur une petite boîte remplie d'allumettes. Souriante, je redescendis sur le carrelage froid de la cuisine et ouvris la boîte. La tête rouge de l'allumette que je saisis semblait m'appeler, comme le serpent qui avait tenté Ève avec la pomme.

Le rouge est un grand synonyme du péché et de la tentation.

Et j'avais décidé de plonger corps et âme dans ceux-ci. Impatiente, je craquai l'allumette contre le côté rugueux de la boîte et je ne pus retenir un hoquet de surprise. J'étais ébahie par cette flamme qui dansait devant moi. Je n'avais jamais apprécié le jaune et l'orange, mais à cet instant, c'était les plus belles couleurs au monde.

Soudain, je sentis mes doigts chauffer et je lâchai l'allumette, étonnée par la douleur. La belle flamme mourut contre le carrelage, laissant une petite trace brune. Je compris alors que le plancher de la cuisine ne brûlerait pas facilement. Je me rendis donc dans le salon et en allumai une autre. Je la posai contre la moquette. Après quelques secondes, je remarquai avec joie que le feu ne cessait pas. J'en allumai encore quelques-unes et retournai à la cuisine, anticipant avec hâte le grand feu que cela produirait.

De retour dans la cuisine, je regardai tristement la petite marque brune laissée par la défunte allumette. J'eus pitié de celle-ci et décidai de ne pas la laisser seule. J'en craquai une autre, qui servit à mettre le feu aux bougies. Ensuite, j'allai mettre le feu aux rideaux qui ornaient la petite fenêtre, aux fleurs séchées qui trônaient sur le buffet, et finalement, je fis brûler les dernières allumettes sur la nappe de la table.

Avant de retourner à ma chambre, je jetai un coup d'œil au salon pour constater qu'un petit feu de joie commençait à grossir. J'étais heureuse. J'étais sur un petit nuage. Vraiment, être pyromane, c'était le meilleur métier au monde. Toute ma colère semblait être évanouie. Je ne ressentais plus de haine, juste une grande euphorie, qui m'a fait gambader jusqu'à ma chambre. Fière de mon accomplissement, je me glissai dans mon lit et fermai les yeux.

L'odeur de brûlé me chatouilla les narines et je ne pus m'empêcher de rire. Cette odeur me rendrait à jamais heureuse. Jamais je n'avais ressenti une joie aussi intense. Cette chaleur qui montait en moi me faisait tourner la tête. J'entendais les cloches du bonheur percuter mes oreilles et les chants des anges. Des sons magiques, des images envoûtantes, des odeurs enivrantes, bref, c'était l'extase, c'était le paradis.

J'étais enfin quelqu'un d'autre qu'un être de colère. J'avais réalisé enfin une bonne chose dans ma vie, une chose parfaite. Mais comme tout moment intense de bonheur, il ne dura pas bien longtemps. En effet, contre mon gré, on m'arracha de mon lit, de la chaleur, de mon œuvre et de mon euphorie.

Alertés par le détecteur de fumée, mon père et ma mère nous avaient prises à la hâte, Chloé et moi, en hurlant et en courant à l'extérieur. La nuit fraîche fut comme une morsure pour moi, me ramenant à la dure et insipide réalité qu'était la mienne.

Alors qu'au loin, les sirènes des ennemis accouraient pour éteindre mon art, je me sentais incroyablement vide devant ce spectacle dont je connaissais déjà le dénouement. Je pleurais, non pas à la vue de cette grande maison qui brûlait, mais à l'idée que ce feu majestueux allait bientôt n'être qu'un simple fumet de cendre. Je pleurais par anticipation. Mon père avait beau essayer de me consoler, ses efforts restaient sans succès car il ne savait rien. Rien de ma tristesse.

Et quand les lances entrèrent en contact avec les flammes, je crus entendre l'agonie de celles-ci. Mes larmes redoublèrent et mes yeux devinrent les canaux de Venise. J'avais mal, j'avais froid, je me sentais vidée de tout en moi. Quelle douleur! Pire que n'importe quel abandon.

Tandis que mon accomplissement se faisait réduire en cendres, je n'eus plus qu'une seule pensée, un seul désir; retrouver cette incroyable sensation d'ébullition qui avait surgi en moi. Je voulais jaillir à nouveau, pour enfin me sentir vivante. Reprendre vie pour toujours, quitte à brûler tout sur mon passage.

Je suis une criminelle. Je suis un volcan. Je suis libre.

2
La censure
des autobus

L'autobus 102-04 n'avait rien d'exceptionnel. Il n'était pas le dernier modèle, mais il roulait encore très bien. Il avait une capacité de quarante-deux personnes assises et de vingt autres debout. Ses sièges étaient confortables, rembourrés et recouverts d'un tissu rouge. Le dossier était, quant à lui, d'un solide plastique noir, où des poignées argentées étaient fixées sur le dessus pour permettre aux gens de s'y agripper. Les fenêtres étaient légèrement teintées vers le haut, afin que les usagers ne soient pas trop incommodés par les rayons du soleil.

Bref, le 102-04 était un autobus tout ce qu'il y avait de plus commun. Identique à tous les autres du Regroupement de Transports de la Ville (RTV). Cependant, contrairement aux autres, cet autobus n'avait plus que quelques minutes d'espérance de vie. En effet, à 13 h 11, un employé de la casse allait appuyer sur le bouton qui mettrait en marche le compresseur, écrasant, brisant et détruisant pour de bon le 102-04, jusqu'à ce qu'il ne soit plus qu'un amas de ferraille.

Tel un condamné, le vaillant 102-04 tentait de se remémorer l'incident qui l'avait conduit à l'échafaud. C'était comme si tout cela avait eu lieu hier, et pourtant, ça avait commencé il y avait deux mois de cela, le 20 avril, à 7 h 28.

La journée s'annonçait bien. Le timide soleil acceptait de se montrer de temps en temps, mais préférait se cacher derrière un nuage la plupart du temps. La température était fraîche, mais les météorologues avaient toutefois annoncé un réchauffement en fin d'après-midi. Une belle journée, quoi ! Malgré tout, depuis près d'une demi-heure, la congestion sur l'autoroute ralentissait le 102-04. Les usagers, ainsi que le chauffeur, étaient exaspérés.

Une fois leur journal fini ou leur livre achevé, les usagers n'avaient plus rien à faire, outre remarquer l'état stationnaire de l'autobus et se plaindre. Le 102-04 acceptait relativement bien les tapotements de pieds des gens démontrant leur impatience. Il acceptait aussi la symphonie des doigts martelant le dossier des sièges, créant une musique cacophonique d'exaspération. Il pouvait même endurer les plaintes et les remarques désobligeantes des clients. Cela ne l'atteignait pas. C'était un autobus après tout.

Mais cette journée-là, un client attira son attention. C'était un homme dans la trentaine. Il avait des cheveux blond cendré, coiffés avec soin, ainsi que de grands yeux bruns qui dévoilaient des petits cernes témoignant d'une nuit courte. Son menton était garni d'une barbe rasée avec soin et l'odeur de son après-rasage l'accompagnait avec subtilité. Sa taille et sa physionomie n'avaient rien de particulier si ce n'est du fait qu'elles n'avaient justement rien de particulier. C'était le genre d'hommes que vous croisez dans la rue et que vous oubliez l'instant d'après. Un être ordinaire, célibataire, employé à la comptabilité, sans histoire, qui ne semblait pas avoir de grandes aspirations autres que celle de remplir des formulaires d'impôts ou d'épargnes. Il semblait avoir comme ambition de déranger le moins possible. Ambition qu'il détestait. Le problème n'était pas tant sa vie routinière et sans surprises, car il s'en accommodait bien. Non, l'ennui, c'était qu'il avait l'impression de ne rien apporter à la société. Sa seule contribution envers l'humanité était qu'il prenait le transport en commun et qu'il recyclait ses bouteilles vides. En fait, il disait recycler pour se donner bonne conscience, car en vérité il ne faisait que les rapporter au magasin pour recevoir le retour monétaire que la bouteille vide apportait. Pourtant, il n'y avait pas si longtemps, il était un idéaliste et voulait changer le monde. Partir en croisade contre le capitalisme et la mondialisation. Se rendre en Afrique pour aider les plus démunis. Vivre sous l'idéologie de la simplicité volontaire et ainsi permettre à la prochaine génération de s'épanouir dans un monde sain.

Quelques années auparavant, il avait été ce genre d'homme. Cependant, la machine industrielle avait eu raison de lui à coup d'usure et de responsabilités. Était-ce cela qu'on appelait la dure réalité de la vie.

Durant ce trajet plus long qu'à l'accoutumée, il remit en question les dix dernières années de sa vie. Comment avait-il pu changer à ce point en si peu de temps ? Ce n'était pas si long dix ans après tout... Que s'était-il passé ?

Il avait beau retourner cette question mille fois dans sa tête, il était obligé d'admettre que la réponse était : « rien ». Il ne s'était rien passé et c'était bien cela le problème. Lorsque rien n'arrive, quand les choses ne bougent pas, l'être humain se tourne alors vers d'autres aspirations, espérant enfin trouver un peu de mouvement. L'humain déteste ce qui est immobile. Il n'en voit pas l'intérêt. Ce qui bouge le rassure. Ce qui avance le rend confiant. C'est sans doute ce qui était arrivé à cet homme. Il voulait changer le monde, mais rien ne bougeait. Alors il a délaissé le monde pour se centrer sur lui, tournant le dos à ses désirs premiers.

Tandis que l'homme pensait à la dernière décennie, le 102-04 devenait le témoin de l'illumination de l'homme et de son éveil. Il en aurait été ému s'il n'avait pas été un simple autobus.

L'homme dans la trentaine décida de changer. Ne dit-on pas qu'il n'est jamais trop tard pour repartir à neuf? Mais déjà un problème jaillit dans sa tête : « Comment change-t-on le monde? »

Une question bête, mais qui méritait une longue réflexion. L'homme dans la trentaine se mit soudainement à bénir l'embouteillage qui lui procurait tout le loisir de songer en paix. En fouillant dans ses souvenirs, il se rappela une phrase que lui avait dite un de ses professeurs de sociologie à l'université : « Faites du bruit. L'important, c'est de vous faire entendre. »

Du bruit... Cela signifiait-il qu'il devait se noyer dans une foule bruyante, hystérique, vindicative et extrémiste, qui causait d'affreuses congestions sur les routes? Cette idée ne lui semblait guère alléchante. De toute manière, il trouvait ces rassemblements inutiles et légèrement hypocrites, même s'il y avait déjà participé dans sa jeunesse. Devait-il alors s'y prendre par les médias? La télévision ou les lignes ouvertes à la radio? Et pour dire quoi? De toute manière, qui porte un réel intérêt aux élucubrations d'un trentenaire en pleine crise existentielle? Il ne serait qu'un contestataire parmi des centaines d'autres.

Il repensa à la phrase de son professeur. Du bruit... Comment faire du bruit... Puis, le jeune homme songea au fait que le bruit n'était pas l'idée principale de la phrase. Ce qu'il fallait retenir était l'importance de se faire entendre. Le bruit, dans sa définition sémantique, était de créer des sons agréables ou désagréables. Mais dans la révolution, le bruit pouvait être tant visuel qu'auditif.

Son illumination éclaira davantage le 102-04 lorsqu'il comprit comment il pouvait changer le monde à sa façon.

Discrètement, après avoir vérifié que les dix-huit autres passagers ne le regardaient pas, il sortit de son porte-document un feutre noir qui traînait dans le fond. Il leva la tête une nouvelle fois et constata avec joie que les usagers étaient trop occupés à se plaindre du trafic pour lui prêter la moindre attention. Idem pour le chauffeur.

C'est alors qu'il posa la pointe de son feutre contre la paroi de plastique du dossier devant lui. Il traça un premier mot et remarqua que malgré la noirceur des dossiers, on pouvait aisément lire ce qu'il venait d'écrire. Frénétique comme un manifestant qui commet une infraction pour ses convictions, l'homme écrivit une pensée qui l'obsédait souvent.

Lorsqu'il inscrivit le point final, il releva la tête pour s'assurer que personne ne l'avait vu. Il retint un soupir de soulagement et admira avec satisfaction son œuvre. Dans un dernier acte rebelle, il osa inscrire ses initiales : « S. L. » Lentement, il reposa le feutre dans son porte-document et se complut dans l'observation de sa phrase pour tout le reste du trajet, oubliant le fait qu'il serait en retard au travail et qu'il devrait finir plus tard ce soir-là.

Lorsqu'enfin le 102-04 arriva à la gare, avec quarante-cinq minutes de retard, S. L. descendit d'un pas léger, espérant que son message atteindrait au moins une personne.

Sa première victime fut le chauffeur. En effet, quand tout le monde fut sorti, il commença son inspection afin de jeter les déchets et les journaux que les usagers ingrats avaient laissé traîner. En jurant, il remarqua un journal éparpillé sur le sol et se pencha pour le ramasser. En se redressant, il tomba nez à nez avec l'inscription de S. L. Son premier réflexe fut de se mettre en colère contre les adolescents qui n'ont aucun savoir-vivre et respect pour le bien public, mais en lisant les mots, il réalisa qu'un jeune n'aurait pas pu écrire ces paroles sensées : « Savez-vous que les deux tiers des richesses mondiales appartiennent au tiers de la planète ? S. L. »

Cette pensée ne l'atteint pas en premier lieu, mais lorsqu'il répéta la phrase à haute voix en faisant rouler cette vérité sur sa langue, dans un murmure presque honteux, il en réalisa la portée. Il songea aux actions des grandes entreprises, dont il savait les actes peu louables. Il songea à la condition humaine dans le monde, qu'il savait peu enviable. Mais surtout, il repensa à ses propres actions quotidiennes, jugeant qu'elles n'aidaient en rien les problèmes du monde.

Il se remémora les quatre gros sacs de déchets qu'il empilait sur le trottoir. Dans ces sacs, combien d'objets aurait-il pu recycler? Et son entrée qu'il arrosait durant l'été et l'automne pour la nettoyer des saletés qui venaient s'y poser... Était-ce vraiment nécessaire? Combien d'eau potable gaspillait-il? Lui qui mangeait trois fois par jour et parfois plus... Combien de gens dans ce monde avait cette chance?

En relisant la phrase gribouillée contre le dossier du siège, le chauffeur d'autobus se rappela alors sa jeunesse et l'idéaliste en lui qui espérait changer le monde. Il se souvint alors pourquoi, chaque matin, il se sentait fier d'accueillir les usagers du transport en commun. À chaque personne qui prenait place dans son autobus, c'était une voiture de moins en circulation. C'était un peu plus d'air pur.

C'est pourquoi, en se relevant, il décida de ne pas signaler ce graffiti à son patron. Il ne voulait pas qu'on l'enlève, car chaque matin, en entrant dans son autobus, il irait le lire et cela lui ferait oublier son maigre salaire et le regard dégradant des gens qui le considéraient comme un simple gars trop con pour faire autre chose que de conduire un bus.

❧

Le lendemain, S. L. monta de nouveau dans le 102-04 et tenta de se faufiler à la même place, afin de voir si son message était toujours là. Malheureusement, une adolescente typique avec des écouteurs sur les oreilles occupait les deux sièges, un pour elle et un pour son sac à dos, ce qui l'empêcha de s'assoir. Il dut donc se contenter du siège placé de biais à celui qu'il avait convoité.

Durant tout le trajet, il tenta d'apercevoir sa phrase, sans succès, car les genoux de l'adolescente, appuyés contre le dossier, bloquaient la vue. Dépité, S. L. se dit que le message avait dû être effacé ou qu'il était tout bonnement ignoré, car il ne semblait guère attirer l'attention.

Le 102-04 crut sentir une pointe de découragement s'abattre sur le pauvre homme, qui avait eu, hier encore, un regain d'espoir en sa capacité de changer le monde. S. L. fut tenté d'écouter la voix de la paresse qui lui susurrait de tout laisser tomber, qui lui disait que malgré ses bonnes intentions et ses beaux discours, personne n'avait plus le temps de se révolter. La société avait tout fait pour plonger les gens dans une léthargie désespérante, les rendant pareils à des mollusques, sans autres ambitions que de se caler au fond de leur fauteuil et de regarder avec émerveillement leur boîte à images. Penser était devenu trop difficile et réagir encore plus.

De toute manière, à quoi bon crier si c'est pour se faire répondre de se taire ? continua la petite voix perfide. Sois tranquille, sois sage et fais comme tous les autres. Hoche docilement la tête lorsqu'on te parle et ne dis pas un mot plus fort que l'autre. Ne change rien, car le changement n'apporte que de l'incertitude et du stress.

Ne sois pas marginal, car avec le temps, la marginalité a perdu tout son sens. L'idée de rébellion s'est perdue avec le temps.

Les rebelles sont devenus des figures emblématiques en vogue. Combien de personne achète un chandail fait par des ouvriers sous-exploités à l'effigie de Che Guevara ?

La provocation a changé de vocation pour la perversion. La solidarité s'est fait remplacer par l'idée de masse qui prône le calme et le silence. À quoi bon crier ? On ne fait que déranger inutilement. Il faut suivre la meute, car seul, on est impuissant. Seul, on est tout simplement seul, répéta la voix qui tentait de l'entraîner dans le même état comateux qui maintenait le reste du monde.

S. L. se laissa bercer par cette promesse d'une vie meilleure, jusqu'à ce qu'une autre voix commence à s'élever en lui. Celle-ci était plus persistante et grave, comme le ronronnement d'un moteur. Elle était stridente et persistante, comme un vent qui lui sifflait dans les oreilles. Le bourdonnement le faisait vibrer et il sentait monter en lui l'effluve d'un courant de pensée contradictoire. Pourquoi accepter l'idée du silence quand on a la possibilité du bruit ?

N'as-tu rien à dire, demanda le bourdonnement avec une voix teintée d'amusement.

Souriant, S. L. sorti à nouveau son feutre. Comme s'il était guidé par une volonté autre que la sienne, il posa la pointe de son feutre contre le dossier face à lui et inscrivit un autre message, sans même craindre de se faire surprendre. Si jamais le cas échéant se produisait, il répondrait simplement que cet acte était insensé, irrationnel et inexplicable, mais qu'il s'en fichait.

À cet instant, le 102-04 fut heureux de se laisser gribouiller, pour la bonne cause.

❖

Durant sa routine de ménage, le chauffeur du 102-04 ramassa quatre journaux, un sac en plastique et des restants de ce qui fut un déjeuner. Mais il n'avait émis aucun commentaire contre ces *cochons*, car il avait eu une agréable surprise. Ce mystérieux S. L. avait encore frappé. Si sa première inscription avait propulsé le chauffeur sur un nuage indescriptible, le deuxième lui avait réchauffé le cœur tout autant. Le second message n'était pas une dénonciation sociale, mais plutôt un message d'espoir, qui semblait lui parler directement.

Sur le dossier situé en diagonale de celui où se trouvait le premier message, on pouvait lire : « Il y a toujours une main qui se tend vers nous pour nous relever. S. L. »

Le vieux chauffeur sourit à cette phrase, se remémorant quelques épisodes de sa vie où, alors qu'il se trouvait dans une grande détresse, plusieurs âmes charitables l'avaient aidé. Mais plus que tout, il se souvint des moments où il avait lui-même tendu la main, venant en aide à quelqu'un de moins fortuné. Cela lui rappela qu'il avait en lui l'incroyable capacité de secourir les autres. L'homme se croit souvent impuissant et incapable de porter une aide à autrui pour diverses raisons qui peuvent être bonnes ou non, mais là n'était pas la question.

Il était plutôt question de l'instinct profond qu'ont les gens en chacun d'eux, qui les pousse à agir pour le bien commun, sacrifiant le leur par la même occasion. C'est ancré au fond de chacun depuis la nuit des temps, depuis le moment où la première femme a été mère et où le premier homme a senti que sa vie avait une importance moindre que celle de sa progéniture. C'est au fond de chaque personne, mais l'évolution, la technologie ou la société ont sûrement repoussé cet instinct au tréfonds de leur être.

Pourtant, avec cette simple phrase de S. L., le chauffeur sentit revenir en lui cette capacité. Il réussit à se souvenir. Tous les petits gestes auxquels il prêtait peu d'importance, comme accorder le passage à un usager n'ayant pas l'argent nécessaire pour payer son billet, ou le fait de recycler tous les journaux qu'il trouvait dans le 102-04 au lieu de les jeter à la poubelle, tout ceci est une contribution, une main qui se tend pour aider quelqu'un.

À la vue de la phrase, le chauffeur eut une réaction impulsive. Un geste spontané et irréfléchi, certes, mais sur le coup, cela importa peu au vieil homme. Il prit un stylo à encre bleue et écrivit, à côté du second message, une phrase de son cru : « J'ai la capacité de tendre la main. C. C. »

À cause du stylo, l'écriture fut moins lisible et un peu plus gauche, mais au fond, l'importance était dans le geste et non dans le message en tant que tel, car peut-être serait-il le seul à le saisir.

Sous ce nouveau graffiti, le 102-04 ne put s'empêcher de sourire, se sentant maintenant le porteur de messages silencieux qui criaient au monde leur volonté de s'épanouir.

∽❦∾

Durant la fin de semaine, S. L. n'eut pas à prendre le 102-04. C'est donc avec fébrilité qu'il y embarqua le lundi, ne sachant pas ce qu'il y trouverait. Comme un artiste lisant ses premières critiques, S. L. se demandait comment avaient réagi les gens à son art peu conventionnel. Avaient-ils ignoré les messages, croyant à de simples actes de vandalisme ? Les avaient-ils lus pour les oublier aussitôt ? Est-ce que les messages s'étaient frayé un chemin jusqu'à certaines personnes, allant jusqu'à toucher leur âme durant un temps, ne serait-ce qu'une simple seconde ?

Avec rapidité, il tenta de se faufiler jusqu'à un des deux bancs où il avait transcrit ses pensées, mais encore une fois, ils étaient déjà pris. Dépité, il prit place deux bancs derrière le siège qui contenait sa première phrase. Discrètement, il tenta de jeter un coup d'œil vers le dossier et remarqua avec joie que son message était toujours présent et encore intact. C'était une acclamation silencieuse qui s'offrait à lui. Sous le soleil matinal, les lettres noires luisaient avec grâce, éclairant les humbles esprits. S. L. poussa un soupir de soulagement et de joie, fermant les yeux pour savourer son instant de gloire.

Durant tout le trajet, il se sentit enveloppé d'une bulle de béatitude. La transcription de son troisième message contribua aussi à cet état. Sa troisième phrase reflétait son sentiment euphorique qui faisait en sorte qu'aujourd'hui, il trouvait tout d'une beauté incroyable. Il avait écrit :

« Vous êtes beau. S. L. »

Le texte était simple, direct, et pouvait presque avoir des allures d'un romantique rose bonbon, il s'en fichait. En ce moment, tout lui apparaissait d'une beauté qu'il n'avait jamais considérée avant.

Lorsque le 102-04 s'arrêta au terminus, S. L. se leva et jeta un autre coup d'œil au siège en avant de lui, que l'usager venait de quitter. Il relut encore sa première phrase, mais remarqua quelque chose d'autre. Voyant qu'il bloquait les autres derrière lui, S. L. prit place derrière le dossier où était inscrit : « Savez-vous que les deux tiers des richesses mondiales appartiennent au tiers de la planète ? S. L. » Sous sa phrase, il y en avait une autre, moins visible que le message initial, écrite avec ce qui semblait être un marqueur fluo jaune : « Dégueulasse ! À mort le capitalisme ! »

L'écriture quelque peu grossière, voire vulgaire, semblait être celle d'un adolescent. S. L. sourit, et du bout des doigts, il parcourut la réponse qu'un jeune homme ou une jeune femme avait faite. Une personne avait été touchée par son message.

— Monsieur !

S. L. sursauta. Il se tourna en direction de la voix et tomba nez à nez avec le chauffeur. Ce dernier le regardait d'une drôle de manière. S. L. se sentit rougir sous son regard, comme un enfant pris sur le fait.

— Nous sommes arrivés au terminus, annonça le chauffeur.

— Hum... Oui, je sais... je... pardon, bégayai S. L. en se levant.

À peine avait-il fait trois pas que le vieux chauffeur l'interpella encore.

— Attendez un instant !

Dos au vieil homme, S. L. grimaça et se retourna lentement, s'attendant à recevoir des réprimandes ou Dieu sait quoi. Immobile, il n'eut pas le courage de fixer l'homme droit dans les yeux. Il se contenta donc de regarder le plancher du 102-04.

— Vous avez oublié ceci, déclara le chauffeur en donnant le porte-document à S. L.

— Oh... euh... Merci, répondit-il, surpris de la tournure des choses.

— Vous l'avez lu ?

— Lu quoi ?

— Ce qui est écrit sur le dossier.

— Et vous ?

— Si je l'ai lu ? demanda le chauffeur avec un sourire en coin.

S. L. hocha la tête en attendant une réponse.

— Oui.

— Depuis longtemps?

— Le premier jour.

— Et vous ne l'avez pas effacé?

— Non.

— Pourquoi?

— Pour les mêmes raisons que vous l'avez écrit, répondit le vieux chauffeur en adressant un clin d'œil à S. L. Ben quoi? Vous croyez sincèrement que parce que vous êtes assis au fond, je ne vous vois pas?

— C'est vous qui avez écrit le second message?

— Pas sur ce siège-là.

— Ça ne vous dérange pas?

— Non. J'aime ces messages. Ça me donne l'impression d'avoir un bus qui a une âme.

Le vieux chauffeur prit sa retraite deux mois plus tard suite à un infarctus, car son cœur fragile rendait maintenant tout déplacement dangereux. De plus, les médecins l'avaient forcé à un repos total d'un an, voire deux. La RTV préféra lui avancer sa retraite afin d'engager un nouveau permanent et de minimiser les coûts liés à l'assurance et aux avantages sociaux.

Le 102-04 fut bien peiné de perdre son vieil ami qu'il connaissait depuis près de trois ans. Il avait peur, aussi. Peur du nouveau chauffeur, qui allait prendre place derrière le volant. Il craignait que ce dernier n'apprécie pas la décoration quelque peu originale des dossiers.

Car en deux mois, plusieurs messages étaient apparus, dont plusieurs de S. L., mais aussi de B. B., de Sims, de Chloé, d'Anonyme et de plusieurs autres encore.

Les messages que S. L. aimait le plus étaient ceux qui comportaient de l'humour. Son préféré avait été inscrit par un E. B. :

« Faute d'intérêt général, demain n'aura pas lieu. »

Dans ses jours de déprime, ces messages lui remontaient le moral. Certains messages n'apportaient aucune réflexion, mais heureusement, ils ne constituaient qu'une petite proportion des écrits qui trônaient sur les dossiers. À travers des messages d'espoir, de revendications et de dénonciations, les gens s'étaient sentis renaître. Lorsqu'ils les lisaient, c'était comme un baume sur leurs cicatrices invisibles.

Les usagers avaient repris leur faculté de se remettre en question et de remettre en question ce qui les entourait. Et le 102-04 avait été le témoin silencieux de tous ces changements. Souvenirs qu'il se remémorait, alors qu'il sentait sa fin approcher de plus en plus. Et avec raison, car le nouveau chauffeur avait été scandalisé par les graffitis qui ornaient le 102-04. Il avait porté plainte à la RTV et un dossier avait été ouvert.

Peut-être cela s'était-il passé un vendredi soir particulièrement pénible pour les membres de la commission du RTV, ou un lundi matin comateux, toujours est-il que les membres avaient rapidement pris une décision très injuste. La fatigue du lundi matin ou la hâte de la fin de semaine avait sans doute dû les aveugler, car aucun ne prit conscience de la portée des messages inscrits sur le 102-04.

Pas un membre n'eut un éveil ou une chaleur bienfaisante qui lui parcourut le corps. Ils restèrent insensibles et stoïques lorsque, d'une voix unanime, ils prirent la décision de détruire le 102-04. De toute manière, dirent-ils, nous voulions remplacer les vieux modèles pour des plus performants.

À la première heure, on conduisit le 102-04 à la « cour à scrap » la plus proche. Il était 12 h 56. Un employé le conduisit sur un énorme « X ». Tandis que l'employé retirait la clé du contact, le 102-04 ne ressentir aucune rancune ou tristesse. Après tout, ce n'était qu'un simple morceau de ferrailles.

Car l'employé venait de retirer la clé et de la lancer derrière lui. D'un pas nonchalant, il sortit de l'autobus et fit un signe à un de ses collègues. Ce dernier, enfermé dans une petite cabine, appuya sur le bouton pour qu'un solide fil descende juste au-dessus du 102-04. Au bout du fil pendait un énorme aimant qui s'activa et agrippa solidement l'autobus.

L'employé de la cabine appuya sur un autre bouton et le fil fit monter l'aimant et le 102-04. Ensuite, l'employé contrôla une manivelle qui faisait tourner la grue, jusqu'à ce que le 102-04 fût au-dessus du compresseur. Ensuite, il appuya sur le bouton vert de sa console et, dans un bruit abominable, l'autobus s'écrasa au fond de sa trappe mortelle. Pour finir, l'employé de la cabine appuya sur le dernier bouton de la console. Le bouton rouge provoqua un grincement et un crissement comparables à mille ongles griffant un tableau noir.

Mais pour S. L., le bruit était tout autre; il entendait les gémissements de douleur du 102-04.

À travers la grille de métal, S. L. était venu assister aux derniers instants de son ami. Impuissant, dépité et désolé, il avait regardé la scène, paralysé. Il ne pleura pas, mais les cris du 102-04 étaient les mêmes que de ceux de son cœur. Il se sentit misérable de n'avoir rien pu faire.

❧

Le lendemain, lorsque S. L. embarqua dans le 102-10, il fut frappé de constater que malgré la ressemblance physique, l'autobus était totalement différent du 102-04. Sans doute à cause du manque d'expérience. Ce petit nouveau n'avait pas encore eu la chance d'expérimenter grand-chose. Il sentait le neuf, il n'avait rien à dire encore.

S. L. prit place sur un des bancs et fixa le dossier devant lui. Puis, avec un petit sourire, il sortit son feutre noir et, après s'être assuré que le nouveau chauffeur, qui lui aussi sentait le neuf, ne le regardait pas, il écrivit sa dernière phrase. Durant la nuit, S. L. avait décidé de se retirer et de laisser sa place à qui voudrait bien la prendre. De toute manière, sans le vieux chauffeur et le 102-04, rien n'était plus pareil. Il avait fait son temps.

❦

Ce matin-là, quand le jeune chauffeur fit l'inspection routinière, il trouva sur le dossier d'un de ses bancs un graffiti qui le mit hors de lui. Le 102-10 exprimait aussi fortement son mécontentement. De quel droit quelqu'un osait-il le barbouiller? Surtout avec cette phrase sans queue ni tête! Si ce message était apparu, ce n'était plus qu'une question de temps avant que d'autres ne surgissent, se dirent le chauffeur et le 102-10. Mais il ne fallait pas leur en vouloir, ils étaient encore jeunes. Ils avaient encore tout le temps de comprendre et de ressentir l'éveil.

Rempli de bonne volonté, le jeune chauffeur s'obstinait à effacer le graffiti avec un linge imbibé d'eau, ce qui était inutile puisque le feutre de S. L. était à l'encre indélébile. Ainsi, les lettres noires, qui luisaient au soleil, ne disparaissaient pas et le narguaient, jusqu'à lui marteler la tête de leur message :

« Longue vie au 102-04 ! »

3
Le sommeil

à Fabie et à toutes ces heures
de sommeil perdues.
Elles en valaient la peine.

Pour que l'être humain soit fonctionnel, on décrète qu'il lui faut dormir en moyenne huit heures par jour à partir du milieu de l'adolescence. Certaines personnes ont besoin de plus de sommeil, comme Einstein, qui affirmait avoir besoin de dormir dix heures par jour, et d'autres en ont moins besoin. Cependant, les médecins et autres scientifiques sont d'accord sur un point : la moyenne, c'est huit heures de sommeil par jour.

Sur ce fait, Jérémie en est arrivé à un raisonnement. Lorsqu'on ne dort pas ses huit heures par nuit, on accumule des heures de sommeil manqué. Au fil des années, ces heures s'accroissent, et c'est ce qui expliquerait pourquoi la population devient de plus en plus fatiguée en grandissant.

Jérémie a trente ans. Il est divorcé, sans enfant, et est le PDG d'une grande entreprise internationale. Il vient de mettre au point un raisonnement qui lui semble logique et troublant. Avec une calculatrice, il a fait une petite équation. Si depuis ses seize ans, il avait dormi huit heures par jour, il aurait donc dormi deux mille neuf cent vingt heures à chacune des années passées depuis. Donc, entre seize et trente ans, il aurait dû cumuler quarante mille huit cent quatre-vingts heures de sommeil.

Mais se souvenant très bien de sa jeunesse, Jérémie dut admettre qu'en moyenne, il avait dormi cinq heures par jour entre seize et trente ans. Ce qui faisait un total de vingt-cinq mille cinq cent cinquante heures. Sa calculatrice indiquait qu'il avait quinze mille trois cent trente heures de sommeil à rattraper, si ce n'était pas plus, en raison de ses longues nuits blanches d'étudiant.

L'homme trentenaire comprenait mieux pourquoi chaque matin, il se levait encore plus fatigué que la veille. Avec toutes ces heures perdues et la fatigue accumulée dans son système, il était normal qu'il soit épuisé.

Quinze mille trois cent trente heures... C'était six cent trente-neuf jours... C'était presque deux ans. Il avait deux ans de sommeil à rattraper. Une vraie catastrophe !

Devant un tel calcul, Jérémie ne put qu'être horrifié. S'il continuait ainsi, il allait être au bout du rouleau avant quarante ans, à deux doigts d'une fatigue extrême.

Un de ses anciens collègues avait été victime de fatigue extrême à son travail. Cela avait entraîné un *burn-out* et il avait dû quitter son poste. Aux dernières nouvelles, son ancien collègue ne se portait pas mieux et il serait même encore plus fragile émotionnellement.

Jérémie ne voulait pas finir comme cet homme. Il avait un travail parfait qu'il adorait et qui lui valait le respect et l'admiration de ses pairs. Pour rien au monde il ne voulait le perdre en raison de sommeil manqué !

C'est alors qu'une solution s'imposa : il prendrait deux années sabbatiques afin de rattraper le plus d'heures de sommeil perdu qu'il le pouvait. En tant que PDG, il pouvait se permettre ce congé sans craindre de perdre son emploi. Jérémie ignorait pourquoi, ne connaissant rien à la paperasserie d'avocats, mais le fait était que c'était sa seule chance de ne pas faire de *burn-out*. Il devait prévenir pour ne pas avoir à guérir !

C'est donc à la première heure qu'il fit part à ses collègues de son projet de prendre deux années sabbatiques pour des motifs personnels. Il leur expliqua qu'il avait besoin de temps pour lui, pour se remettre à neuf et pour expérimenter.

Ses collègues approuvèrent et lui donnèrent le feu vert pour son congé. Il reçut même une carte de départ de tous ses confrères lui souhaitant de bien s'amuser et de bien se reposer. En lisant ces mots, Jérémie ne put que sourire en se disant que du repos, il n'allait pas en manquer.

❦

Le lendemain, Jérémie avait tout préparé, ne laissant rien au hasard. Il avait débranché tous ses téléphones et mis son portable sur le mode vibrateur, puis il l'avait ensuite enfoui dans le premier tiroir de sa commode, sous une pile de sous-vêtements. Ainsi, il ne se ferait pas déranger.

Dans la journée, un réparateur était venu chez lui pour briser la sonnette de sa maison. L'employé de la compagnie avait jeté un drôle de regard à Jérémie face à cette demande plus que particulière. Mais comme on le payait plus que bien pour ce service, il se mit à l'œuvre et coupa les fils de la sonnerie.

Une fois le réparateur parti, Jérémie ferma sa porte avec joie en se frottant les mains. Il était impératif qu'il ne soit dérangé par personne. Il s'en voudrait de perdre de précieuses minutes de son sommeil de récupération pour des futilités comme des Témoins de Jéhovah ou de la visite.

Par la suite, il était allé magasiner. Ayant décidé de tout prévoir, il avait acheté de la musique de relaxation, de la nourriture légère pour que sa mauvaise digestion ne nuise pas à son sommeil, et des bouchons pour les oreilles, au cas où des gens téméraires décideraient de frapper à sa porte après avoir sonné en vain.

Il se paya même un nouveau pyjama plus confortable et de nouveaux oreillers afin d'avoir un confort optimal. Il s'acheta aussi des rideaux épais pour empêcher la lumière du jour de pénétrer dans sa maison et de venir troubler son repos.

Avant de se mettre au lit, il eut envie d'enlever les piles de son détecteur de fumée, mais il se ravisa au dernier moment. Après tout, si sa maison brûlait et qu'il mourait, il aurait fait tout cela pour rien. Il valait donc mieux ne pas trop négliger la sécurité.

Enfin, Jérémie s'installa entre les couvertures de son grand lit double et éteignit sa lampe de chevet.

La maison fut alors plongée dans une noirceur totale. Il fallut quelques instants pour que ses yeux s'habituent à l'obscurité. Couché sur le dos, Jérémie prit une grande inspiration et profita du silence et du calme auquel il était peu habitué. Il ferma les yeux et attendit.

Après quelques minutes, réalisant qu'il ne dormait toujours pas, il décida de changer de position, se rappelant qu'il n'arrivait jamais à trouver sommeil couché sur le dos. En boule, sur le côté, il essaya une nouvelle fois. Mais il réalisa que cela lui faisait mal aux côtes lorsqu'il respirait. Il se tourna donc, pour s'endormir de l'autre côté, mais une vieille blessure à l'épaule lui rappela que ce n'était pas une bonne idée. Légèrement exaspéré, il se tourna vers sa dernière solution, soit dormir sur le ventre.

Le visage enfoncé dans l'oreiller, il poussa un long soupir d'exaspération, avant de tourner la tête pour regarder l'heure qu'affichait son radio-réveil :

20 h 23. Il comprenait maintenant pourquoi il n'arrivait pas à trouver sommeil. Habituellement, il se couchait passé vingt-trois heures. Son corps et son esprit étaient habitués à cet horaire. Il se trouva un peu impatient de demander à tout son organisme de s'ajuster aussi rapidement. Il prit donc

son mal en patience et ferma les yeux de nouveau, sachant que tôt ou tard, il finirait par sombrer, ce qui se produisit vingt minutes plus tard.

Malheureusement pour Jérémie, un besoin naturel le fit sortir de son lit à 4 h 14. Il se dépêcha le plus possible et après avoir tiré la chasse, il replongea dans son lit. Il attendit quelques secondes que le bruit de l'eau à travers les tuyaux cesse et ferma les yeux pour retourner dans les bras de Morphée. Pourtant, le sommeil ne le rattrapa pas. De plus, il réalisa qu'un de ses bouchons pour les oreilles était tombé et qu'il avait dû rouler Dieu sait où dans son lit.

Après un calcul rapide, il réalisa qu'il avait dormi près de sept heures et demie seulement. C'était déjà mieux que sa moyenne actuelle, mais cela n'allait certainement pas lui faire rattraper toutes ses heures de sommeil perdues !

Seulement, il n'arrivait plus à dormir. Il tourna et se retourna dans son lit pendant une heure, avant que son estomac crie famine et qu'il consente à se lever une demi-heure pour manger.

Dans la cuisine, il se prépara une assiette composée de deux œufs sans le jaune et d'un bol de fruits frais. Un verre de lait accompagnait le tout.

Après cela, il prit le disque de relaxation et le mit dans son radio-réveil, le volume au plus bas. Armé de courage, il se remit au lit et éteignit sa lampe de chevet, plongeant à nouveau sa maison dans une noirceur qui aurait pu rivaliser avec les vieilles nuits de l'époque.

La musique aida Jérémie à se détendre et il se laissa aller à ses songes avant de sombrer dans le sommeil près d'une heure plus tard. Il ne se réveilla qu'à 14 h pour se rendre à nouveau à la toilette et pour se préparer un petit repas léger.

Curieux, avant de retourner au lit, il alla jeter un coup d'œil à son portable pour voir s'il avait eu des messages... Aucun. Satisfait, il se faufila dans ses couvertures et s'endormit à nouveau, presque aussitôt cette fois-ci, à son plus grand bonheur. Son corps s'adaptait!

Mais vers 17 h 45, il se réveilla encore et ce n'était dû ni à la faim ni à une envie pressante. Il n'arrivait tout simplement plus à dormir. Sentant qu'il ne fallait pas trop forcer l'adaptation, Jérémie consentit à se lever. Il décida de prendre un bon bain, et il s'y prélassa jusqu'à ce que le bout de ses doigts soit ratatiné à l'extrême et que l'eau commence à se refroidir.

Il prit ensuite une petite collation santé et tira ses rideaux pour prendre un peu d'air frais. Dehors, il faisait déjà sombre. En sortant sur son balcon, Jérémie fut saisi de frissons à cause du vent frais qui s'infiltrait à travers son pyjama de flanelle. Lui qui durant près d'une journée avait été confiné à la chaleur de son lit et à l'obscurité de sa maison... Maintenant qu'il était à l'extérieur, il réalisa à quel point le monde était froid et clair, malgré la nuit. Comme cela le troublait, il décida de rentrer dans son antre rassurant et de tirer les rideaux pour bloquer toute cette lumière.

Jérémie était loin de se douter où cela allait le mener.

❧

Ce fut ainsi durant une semaine. Il se levait à n'importe quelle heure de la journée pour manger, se doucher et aller à la toilette. Mais Jérémie ne resta jamais hors de son lit plus de deux heures. Aussitôt ses besoins primaires comblés, il ressautait dans son lit pour dormir ou somnoler jusqu'à ce que Morphée l'entraîne avec lui. Cela pouvait prendre vingt minutes ou deux heures.

Au début, il faisait un peu d'exercice sur le plancher de son salon, car il avait lu dans son livre de relaxation que l'exercice fatiguait le corps et que cela aidait à mieux dormir. De temps en temps, il écoutait un peu la télévision, mais la vive lumière qui en émanait et les bruits agressants qui en sortaient lui donnèrent rapidement des maux de tête. Avant, il consentait aussi à sortir le bout de son nez pour prendre un peu d'air frais et le changer de l'odeur de renfermé qui flottait dans sa maison.

Tout cela, c'était avant. Maintenant, le corps de Jérémie était tellement amorphe et conditionné à ne rien faire que l'exercice lui était trop pénible. L'effort de sa journée était de se lever pour manger ou aller à la toilette. Parfois, il préférait même sauter un repas, et il ne prenait qu'une douche aux trois jours.

Maintenant, la lumière de ses lampes était trop puissante pour ses pauvres yeux habitués à la noirceur la plus totale. Il n'utilisait plus que les bougies qui lui servaient à cuisiner ses maigres repas et à lire, de temps en temps.

Maintenant, il ne sortait plus du tout, devenu trop sensible au froid et à la lumière de l'extérieur. Lorsqu'il était absolument obligé de sortir, pour évacuer ses ordures, par exemple, il se couvrait avec sa robe de chambre, son manteau d'hiver en plumes d'oie, ses bottes d'hiver, ses moufles, sa tuque de laine et son foulard que sa mère lui avait tricoté le Noël précédent. Il mettait aussi des lunettes de soleil pour sortir, faisant fi du fait que c'était la nuit.

Jérémie était devenu un ermite.

Avant, il aimait jeter un coup d'œil à son portable avant de se mettre au lit pour voir s'il avait des messages. Quand il en avait, il n'y répondait jamais, mais cela lui faisait simplement du bien de savoir que quelqu'un pensait à lui. Maintenant, il n'allait plus voir ses messages. Il ne se souvenait même plus de son portable. Il ne prenait son courrier que lorsqu'il mettait ses déchets au chemin. Et ses lettres se retrouvaient aussitôt mêlées à ses ordures. Il ne les regardait même plus.

En un peu plus de deux semaines, Jérémie s'était complètement coupé du monde. De temps en temps, il entendait vaguement des gens qui venaient cogner à sa porte et qui l'appelaient de l'extérieur. Il avait cru entendre son père et sa mère une fois et quelques-uns de ses amis. Mais il n'avait jamais répondu. Il s'en fichait. Il ne voyait plus l'importance de discuter avec quelqu'un d'autre.

Son seul but se résumait à dormir. C'était sa fierté, car il arrivait facilement à dormir près de dix-huit heures par jour. Il allait enfin rattraper ses heures de sommeil perdues et être en meilleure forme.

Cependant, trois semaines plus tard, un drame se produisit : la ville avait décidé de refaire la rue qui passait devant sa maison.

Jérémie l'avait appris d'une manière brutale quand un matin, alors qu'il dormait, évidemment, il eut l'impression qu'une bombe éclatait sur sa maison. En sursaut, il se réveilla avec la peur au ventre et le cœur qui battait dans sa tête.

Réalisant que tout était en ordre, mais que l'affreux vacarme continuait toujours, il décida de trouver la source de ce bruit qui l'empêchait de retourner dans les bras de Morphée.

Il se traîna jusqu'au salon et étira un pan de son épais rideau pour voir à l'extérieur. La vive lumière du matin l'aveugla si bien qu'il dut se couvrir les yeux avec sa main. À tâtons, il prit les lunettes de soleil qui se trouvaient sur la table basse du salon, et les posa sur son nez avant de regarder à nouveau dehors.

Devant lui se trouvaient des camions de construction, des hommes vêtus de vestes orange très voyantes, maniant des objets très bruyants, ainsi que des voitures qui klaxonnaient pour pouvoir traverser la rue encombrée. Les gens parlaient fort et les camions émettaient des sons désagréables et persistants.

Jérémie se boucha les oreilles, car ses pauvres tympans semblaient vouloir éclater. Malgré l'épaisseur de la vitre de sa porte coulissante, il entendait tout très bien, comme si le marteau-piqueur martelait sur sa tête.

Furieux, il consentit à ouvrir sa porte pour leur ordonner de dégager. L'air frais le fit frissonner, mais sa hargne se trouva être un très bon isolant. Avec toutes ses forces, Jérémie leur cria de ficher le camp et de cesser ce boucan. Personne n'y prêta attention. Il cria encore plus fort, sans succès, car aucun employé de la voierie ne se retourna pour accorder un minimum d'attention à ce dingue qui gesticulait et braillait pour qu'ils arrêtent leur travail.

C'est alors que Jérémie réalisa qu'il n'avait parlé à personne depuis près d'un mois... sinon plus ! Sa voix, tout comme le reste de son corps, était devenue faible. Trop faible pour fonctionner normalement dans la société. Cette idée le fit paniquer. Jérémie referma sa porte coulissante vitrée avec force et tira son rideau pour retourner dans sa rassurante noirceur.

Il jeta ses lunettes de soleil avec force et constata avec horreur qu'il ne devenait pas plus en forme, mais qu'il dépérissait. Pourquoi? Comment? Ne faisait-il pas tout pour résoudre cela? Il dormait près de dix-huit heures par jour! C'est là qu'il comprit. Dix-huit heures, c'était insuffisant! Il devait dormir toute la journée. Ainsi, seulement à ce moment-là, il pourrait retrouver la forme de ses premiers jours. Cependant, comment allait-il pouvoir dormir toute la journée avec le boucan et les bruits stridents qui provenaient de l'extérieur? Il se sentait impuissant, pris au piège. C'était comme si quelqu'un faisait tout pour l'empêcher de dormir.

Ses collègues. Cela ne pouvait être qu'eux! Ils voulaient l'empêcher de se refaire une santé pour pouvoir ensuite prendre sa place. Ou les membres de sa famille! Pour se venger de les avoir ignorés depuis un mois. Les sales ingrats qui ne pensent toujours qu'à eux! Et si c'était son ex-femme... La salope, elle désirait peut-être lui faire du chantage pour avoir une meilleure pension! Se serait tout à fait son genre : « Donne-moi plus et j'enlève les camions! » La chienne, il avait bien fait de la quitter! Eh bien! qu'elle crève, elle n'aura pas un sou de plus.

Et si... Pire, et si c'était le gouvernement! Lui seul a le pouvoir et les moyens financiers de revendiquer toute une équipe de travailleurs et de machines infernales pour venir le tourmenter.

Durant son délire paranoïaque, Jérémie tentait de ne pas perdre de vue son but premier, à savoir, trouver une solution pour contrer le plan machiavélique de l'inconnu voulant lui nuire. Mais comme il avait perdu l'habitude de faire remuer ses neurones, les idées se faisaient lentes. Toutefois, se sachant un homme naturellement intelligent, Jérémie n'avait aucun doute : il finirait par trouver une solution pour dormir... C'est à cet instant qu'il eut un éclair de génie! Des somnifères! Ou plutôt, les somnifères qu'il avait achetés quelques mois auparavant. Pendant une semaine, il avait alors souffert d'insomnie en raison de la remise de son rapport de fin de session.

Pourquoi n'y avait-il pas pensé avant?

Poussé par une montée d'adrénaline soudaine qui donna un regain de vigueur à son corps amorphe, Jérémie courut jusqu'à la salle de bain. Sans prendre la peine d'allumer, il tira la porte-miroir, révélant ainsi sa petite pharmacie. Jérémie fouilla rapidement les trois petites étagères d'un blanc sale, espérant de tout son cœur de ne pas avoir jeté la boîte. Sur la première étagère, il regarda derrière son rasoir, sa crème à raser et sa lotion après-rasage, sans rien trouver. Il pensa brièvement que cela faisait un mois qu'il ne s'était pas rasé. N'ayant pas porté attention à son reflet quelques secondes auparavant, Jérémie ignorait de quoi sa tête avait l'air... Sûrement de rien... Et il s'en moquait bien à cet instant!

Il ne prit même pas la peine de regarder sur la deuxième étagère, sachant qu'il n'aurait jamais mis des somnifères à côté de sa brosse à dents, de son dentifrice et de son déodorant de marque. Il sauta donc instantanément à la dernière étagère, qui contenait toutes ses diverses pilules. Pourquoi n'avait-il pas regardé là en premier? Sans doute à cause de sa vieille routine matinale, qui consistait à commencer sa toilette par la première étagère jusqu'à ce qu'il arrive à la troisième, qui contenait les éléments facultatifs pour pouvoir faire sa journée. Car si se raser et se brosser les dents étaient essentiels, prendre des médicaments pour un mal de tête, une crampe musculaire ou un mal de ventre n'était utile que sur nécessité.

Sans se soucier des contenants qui tombaient sur le sol et dans l'évier, Jérémie chercha avidement la boîte de somnifères. Comme une apparition divine, la boîte se révéla à lui. Il crut presque entendre les cloches de Saint-Pierre retentir dans ses oreilles.

Fébrile, les mains tremblotantes, Jérémie saisit la boîte et la regarda en sentant ses yeux s'embuer. Quelle joie ! Quel soulagement ! Il allait enfin pouvoir dormir en paix ! Sans attendre une seconde de plus, il prit deux pilules, qu'il avala aussitôt.

Il ressentit un moment d'extase alors qu'il sentait les pilules descendre dans le fond de sa gorge. L'adrénaline laissa alors la place à l'endorphine, ce qui eut pour effet de vider Jérémie de toute énergie. Il sentait qu'il était temps pour lui de retourner se coucher. Mais avant qu'il quitte la salle de bain, un terrible doute l'envahit. Et si les deux comprimés n'étaient pas suffisants ? En effet, avec tout le boucan qui faisait rage à l'extérieur, ce n'était peut-être pas suffisant. Préférant ne pas prendre de chance, Jérémie en avala un de plus... puis un autre... et un autre, pensant ainsi mettre toutes les chances de son côté. C'est ainsi qu'il vida ses deux tablettes de somnifères.

Fier de lui, il retourna se coucher. Lorsqu'il posa la tête sur l'oreiller et qu'il se recouvrit de sa couette, Jérémie se sentait encore dans cet état d'extase et ne put s'empêcher de sourire. Il allait enfin pouvoir dormir longtemps, très longtemps. Il eut la brève pensée qu'à son réveil, il devrait se rendre à la pharmacie renouveler sa prescription, mais pour le moment, il se fichait de l'avenir. Seul importait le moment présent.

De plus, il y avait bien des pharmacies ouvertes très tard le soir... Dans tous les cas, l'important était qu'il était confortable et au chaud dans son lit. Rapidement, il tomba dans les bras de Morphée, se trouvant brillant d'avoir eu une idée aussi géniale. Il allait bien dormir, et pour longtemps !

En effet, cela allait être un très long sommeil. Une très longue nuit, sans rêve, sans rien, puisqu'il n'avait plus rien à espérer. Il ne se ferait plus jamais déranger... Du moins, jusqu'à la fin de son congé sabbatique. Car à ce moment, son absence sera certainement louche et inquiétante... pour ceux qui ne l'auront pas oublié, cela va de soi. Et peut-être qu'alors quelqu'un avisera la police et que celle-ci consentira à faire enquête et finira par enfoncer la porte de la maison de Jérémie.

Lorsqu'on le retrouvera, peut-être alors se fera-t-il déranger. Mais cela ne se produira pas avant deux longues années. Et de toute façon, lorsque la police défoncera la porte, Jérémie ne s'apercevra de rien, car il est plutôt difficile de déranger quelqu'un qui dort d'un sommeil de mort.

4
L'ennemi

*à toutes les filles et à tous
les gars du Dunkin' Donuts
de Terrebonne sur le rang
Saint-François, et à tous
les autres qui travaillent
avec le public.
Résistons à l'ennemi !*

Outre le gardiennage, Ariane n'avait jamais eu un véritable emploi. C'est pour cela qu'à dix-sept ans, elle accepta le premier emploi qui se présenta. Elle travaillait maintenant dans une petite chaîne de restauration rapide qui servait essentiellement des beignes. Pour ne pas la nommer, nous l'appellerons Dim Honuts.

Comme c'était son premier vrai emploi, Ariane était fébrile. Sa mère lui avait conseillé d'apporter un petit calepin pour noter les choses importantes, ce qu'elle avait effectivement fait, en future petite employée modèle qu'elle comptait bien devenir.

Lorsqu'elle se présenta à sa première journée de travail en entrant par la porte arrière du restaurant, qui donnait sur la cuisine, Ariane fit rapidement la connaissance de quatre employés, trois filles et un gars. Il était 5 h 50 du matin.

Tous les quatre, debout dans la cuisine en train de parler, de mettre leur filet à cheveux et leur casquette, semblaient plutôt sympathiques. C'est seulement lorsqu'une des filles du groupe, celle qui portait des lunettes, se tourna vers Ariane qu'ils remarquèrent sa présence.

— Salut! s'exclama la fille aux lunettes qui portait un insigne du nom de Catherine. T'es la nouvelle? Marianne?

— Ariane, corrigea-t-elle avec un petit sourire.

— Ok! Ben salut, moi c'est Catherine. Elle, c'est Anick, pis celle qui sort les tôles à muffins, c'est Myriam, pis le seul homme de la place que tu vois, ben c'est Sims. Simon.

Ariane, qui eut la chance de travailler souvent avec ces quatre-là, apprit bien vite à les connaître. Dès la première journée, elle comprit que Catherine était une vraie boule d'énergie et qu'elle avait un humour louche, mais ô combien incroyable! Elle avait des mimiques, des expressions et des anecdotes qui avaient fait rire Ariane de bon cœur jusqu'à ce qu'elle en ait les larmes aux yeux. De temps en temps, lorsqu'il n'y avait pas de clients, et même parfois quand il y en avait, Catherine se laissait aller à une petite danse sur le rythme entraînant de la musique qui jouait dans le Dim Honuts. De toute l'équipe, c'est avec Catherine qu'Ariane s'était liée d'amitié en premier. Il faut dire aussi que c'était elle qui lui avait donné sa formation, ce qui avait aidé à créer des liens plus rapidement.

Anick était grande et souriante. Elle était à son affaire et au début, Ariane avait cru qu'elle n'était pas du genre à déconner, mais après une journée, elle réalisa à quel point elle avait eu tort. Anick et Catherine se complétaient bien dans leurs niaiseries, si bien que dans la tête d'Ariane, une n'allait pas sans l'autre.

Cela lui avait fait un petit choc, la première fois où elle avait dû travailler avec Rine (surnom de Catherine) sans Anick. C'était étrange, ce n'était pas la même atmosphère... Il manquait son rire bruyant qui s'échappait du fond de la cuisine quand elle déconnait avec Catherine et Myriam. Son rire était si fort que même les clients l'entendaient dans la salle à manger. C'était drôle de les voir rire avec elle... Ou d'elle, cela dépendait des clients.

Durant sa formation, Ariane se retrouva souvent seule à l'avant à assurer le service quand il y avait un temps mort. Car les autres se ramassaient à l'arrière, dans les cuisines, pour parler avec Myriam ou Simon. Au début, elle trouvait cela frustrant, car elle s'occupait seule de la caisse ou du service à l'auto. Bien sûr, quand elle appelait les autres pour de l'aide, ils accouraient aussitôt, mais il était plutôt déstabilisant pour une jeune fille dont c'était le premier emploi d'être seule aux commandes, surtout lorsqu'elle était encore en formation.

Cette chaîne de restauration rapide préparait elle-même les beignes, c'est pourquoi on y trouvait des cuisines. Et les fins de semaine, c'était presque toujours Myriam qui s'occupait de cette tâche. Cette dernière avait confié à Ariane qu'elle n'aimait pas beaucoup être à l'avant, avec les clients. Au début, Ariane n'avait pas compris...

Mais toujours est-il que Myriam était pétillante et toujours de bonne humeur. Elle était plus jeune qu'Ariane d'un an, mais comme elle travaillait au Dim Honuts depuis beaucoup plus longtemps, son expérience la rendait plus mature. C'est sans doute cette maturité qui faisait en sorte qu'elle avait une bonne oreille et qu'elle parvenait à supporter les montées de lait de tout le monde. Et en prime, elle arrivait même à faire rire et à conseiller ses compagnes et compagnons de travail. Ariane commençait à comprendre pourquoi les filles s'agglutinaient toutes dans les cuisines dès qu'elles en avaient la chance.

Et puis, il y avait Simon. Dans le Dim Honuts, il n'y avait que trois gars sur une équipe de près de quinze employés. Le premier était assistant-gérant, mais Ariane ne le rencontra vraiment que bien plus tard. Et l'autre s'occupait des quarts de nuit (car le restaurant rapide était bel et bien ouvert vingt-quatre heures sur vingt-quatre). Simon dépassait Ariane d'une demi-tête et il était « tout chou », comme le disaient souvent Myriam et Catherine. Et comme tous les autres employés, il était aussi très farceur. Cela devait sûrement être un prérequis pour travailler dans cette succursale... Ou peut-être que l'effluve de beignes endommageait le cerveau, allez savoir !

Mais tout ça, Ariane ne le savait pas encore, car sa première journée n'avait même pas encore commencé.

Pour le moment, Ariane se savait simplement très intimidée.

La première chose qu'on lui tendit fut un ramassis de vêtements que Catherine lui fourra dans les mains en lui indiquant la porte des toilettes.

— Tu verras ta taille de pantalon dans ceux qu'on a, pis pour le chandail... Ben désolée, mais il reste juste des moyens ou des larges.

Ariane n'avait même pas encore commencé réellement sa formation qu'elle apprit déjà deux choses :

Premièrement, quand on voit dans les films ou les séries télé des personnages se prélasser dans de belles salles d'employés, eh bien! ce n'est pas toujours vrai. Car dans ce Dim Honuts, la salle des employés n'existait pas vraiment. C'était plutôt un coin aménagé à côté de deux réfrigérateurs où l'on entreposait de la viande et des fruits pour les muffins. Une petite table et une chaise, avec des bacs à lait, complétaient « l'aménagement ». Pourtant, Ariane apprit quand même à considérer ce lieu comme un refuge contre l'ennemi.

Deuxièmement, Ariane comprit pourquoi Catherine s'était excusée pour la taille des chandails. Le Dim Honuts avait ses propres tailles, qui différaient de celles qu'on a l'habitude de retrouver dans les magasins.

Elle s'en aperçut en mettant son uniforme, qui se composait d'un pantalon brun pâle trop serré pour elle (c'était celui qui était quand même le mieux adapté à sa taille, mais il aurait fallu une taille entre le 9 et le 10 pour que cela soit confortable.) et d'un grand chandail d'un gris tristounet et terne. Et même si Ariane portait le moyen, on aurait cru qu'il s'agissait d'un large, peut-être même d'un extra large. Elle aurait eu l'impression de flotter dans un pyjama si ce n'avait été de son pantalon. Mais en mettant sa petite casquette noire sur son filet à cheveux, elle se dit quand même que ce n'était pas si mal.

En gardant le sourire, Ariane retourna à l'avant rejoindre Catherine, qui lui donna une épinglette avec son nom et la mention « Formation ». Une fois l'épinglette en place sur le chandail d'Ariane, Catherine commença rapidement à lui expliquer les bases du service, en commençant par la caisse. En voyant tous les boutons et les fonctions, Ariane voulut aller chercher son calepin.

— Pourquoi un calepin ?

— Pour noter ce que tu me dis.

— Oh boy! s'exclama Catherine en riant. Crime, est-ce que c'est ta première job?

— Hum... Oui, répondit Ariane avec un petit sourire d'excuse.

— Oh... Excuse-moi, j'pensais pas... C'est juste que y a tellement de trucs à retenir sur une caisse et que... T'as quel âge déjà?

— Dix-sept ans...

Catherine ne dit rien car un client se présenta à la caisse. Elle se désintéressa donc d'Ariane, le temps de prendre la commande. L'homme voulait un café moyen avec deux crèmes et deux sucres. À la vitesse de l'éclair, elle marqua la commande dans l'ordinateur, versa le café dans le verre et changea le vieux filtre pour un nouveau. Ensuite, elle versa la crème et les sachets de sucre tout en faisant payer le client. Cela dura un grand total de deux minutes.

Ariane avait regardé Catherine agir avec des gestes précis qui trahissaient un automatisme, tout en se disant qu'elle n'arriverait pas à tout faire cela à cette vitesse. Comme de fait, une fois le client parti, Catherine se tourna vers Ariane.

— Tu as vu ce que j'ai fait ?

— Oui...

— Ben ça, c'est la base. Je vais te montrer les touches principales sur la caisse.

Après une rapide description de la caisse et des commandes les plus communes, interrompue quelques fois par l'arrivée soudaine de clients pressés, Catherine se tourna vers Ariane avec un grand sourire.

— Ok, tu fais le prochain !

Ariane fut terrorisée à cette idée et elle dut le laisser paraître sur son visage, car Catherine lui sourit pour la rassurer. Cette dernière savait que les premières fois, la p'tite nouvelle serait lente, elles le sont toutes au début. Et comme de fait, les statistiques lui donnèrent raison. Mais comme toutes les nouvelles, Ariane prit lentement de l'assurance et sa rapidité augmenta au même rythme. En moins d'un mois, elle allait être capable de servir du café, de changer le filtre, de dicter une commande à la personne qui était aux sandwichs et de faire payer le client, tout cela en une minute.

Mais à cet instant, Ariane n'en savait rien et n'avait aucune assurance. Le voyant, Catherine la rassura.

— Relaxe. Je vais être à côté de toi pour te chicaner si tu ne fais pas bien ça, dit-elle avec un large sourire.

Et dès qu'elle eut fini de dire sa phrase, un fameux client arriva et Catherine laissa sa place à Ariane, qui prit sa première commande. D'une voix trahissant sa gêne, en mélangeant ses mots et en bégayant à une occasion, elle réussit quand même à prendre la commande de l'homme, qui voulait le duo déjeuner. Ariane ne savait pas encore ce qu'était le duo déjeuner, mais comme promis, Catherine était à ses côtés et prépara le café avec rapidité et dicta à Simon le sandwich, qu'il prépara aussitôt. Du coin de l'œil, pendant que l'homme cherchait sa monnaie pour payer, Ariane put constater toute l'agitation qui régnait derrière le comptoir.

Au service à l'auto, elle voyait Anick prendre des commandes avec son casque noir. Elle parlait tout en préparant des cafés, en allant chercher des beignes ou des muffins, en faisant payer les clients et en dictant les commandes de sandwichs à Simon.

Ce dernier, quant à lui, s'activait à fournir les commandes des deux côtés, soit pour la caisse et pour le service à l'auto. Ariane anticipa déjà le moment où elle devrait à son tour être harcelée de tous bords et tous côtés.

— Voilà votre café! s'exclama Catherine avec une voix claironnante. Le reste de votre commande vous sera donné à l'autre bout, annonça-t-elle au client, qui prit le café et paya.

Ariane, de retour à la réalité, prit l'argent et redonna la monnaie à l'homme, qui alla attendre son sandwich-déjeuner.

— Pis, pas trop pire pour une première fois! déclara Catherine en donnant une petite claque dans le dos d'Ariane.

— Pas trop pire en effet, sourit-elle.

— Bon, juste une petite chose; oublie pas de sourire au client. Si jamais un client-mystère se présente, il peut t'enlever des points si tu ne souris pas.

— Pour vrai? Euh... C'est quoi un client-mystère?

— Un client qui note ton travail. Si t'as cent pour cent, t'as un bonus à ta paye. T'as compris le principe?

— Oui. Un sourire égale un bonus !

— Parfait, tu comprends vite, j'aime ça. Bon ben montre-nous tes belles p'tites dents parce qu'y en a d'autres qui arrivent.

Ce fut ainsi tout l'avant-midi.

Catherine la corrigeait lorsqu'elle faisait quelque chose d'incorrect, mais dans l'ensemble, objectivement, Ariane s'était trouvée plutôt bonne. Surtout lorsqu'un client lançait sa petite monnaie dans le pot à pourboire.

Mais elle fut soulagée d'apprendre que c'était son heure de dîner. Catherine et elle prirent leur pause en même temps. Dans la cuisine, les deux filles en profitèrent pour discuter avec Myriam, qui questionna Ariane.

— Comment ça se passe pour le moment ?

— Pas trop pire. Un peu stressant, mais bon... dit-elle en haussant les épaules et en prenant une bouchée de ses pâtes dans un thermos.

Durant sa pause-dîner, Catherine en profita aussi pour commencer à séparer les pourboires de la gang. Tandis qu'elle jetait les pièces dans des petits

verres, Ariane chercha celui qui portait son nom...
en vain.

— Où est le mien ? demanda-t-elle.

— T'en as pas.

— Comment ça ?

— Ben, tu es en formation. C'est comme ça,
   expliqua Catherine.

Ariane se sentit insultée. Elle trouvait cela injuste.
Surtout que Myriam y avait droit et qu'elle n'avait
même pas servi un client de toute la foutue journée.
Dans son for intérieur, toutefois, Ariane se calma, en
se disant que bientôt elle cesserait d'être en formation
et qu'elle pourrait avoir un petit verre à son nom. Et
elle se dit que lorsque cela arriverait et qu'il y aurait un
nouvel employé, elle partagerait ses pourboires avec
ce dernier. Car elle trouvait cela injuste.

Cependant, ce qu'Ariane ne savait pas, c'était
qu'elle cesserait d'être en formation un mois et
demi plus tard. Elle apprit aussi, entre-temps,
pourquoi Myriam avait droit au pourboire. Elle
l'apprit lorsqu'elle dut la remplacer un dimanche
matin et qu'elle travailla comme une forcenée pour
faire les muffins et les beignes.

Et lorsqu'un nouvel employé, une nouvelle employée, pour être exact, fit son entrée dans le Dim Honuts, Ariane n'eut aucune envie de partager ses pourboires... Ce n'était pas par avarice ou par méchanceté, car la nouvelle était gentille, souriante et très sympathique, mais...

C'était complexe à expliquer car les pourboires étaient une des seules récompenses pour le travail qu'elle effectuait. Et quand l'ennemi donnait son pourboire, c'était le seul et unique moment où il capitulait et rendait les armes.

Même si Ariane ne comprendrait l'importance du pourboire que dans quelques mois, elle saisit pleinement la notion de l'ennemi dès sa première journée.

Comme un serpent, l'ennemi s'insinue lentement, sournoisement. Ils sont des centaines, des milliers, et ce n'est même pas une exagération. Et lorsqu'on est vraiment à bout, même le plus sympathique d'entre eux peut royalement nous tomber sur les nerfs. Les clients. Une espèce qui ne fait que croître et s'accroître sans cesse. Ils sont les clients, nous sommes leurs victimes. Quelle étrange ironie ! Mais durant sa pause, Ariane l'ignorait encore.

Car durant l'avant-midi, les clients s'étaient montrés courtois avec elle. Mais pour une seule raison : son insigne de formation. C'était son seul bouclier, sa seule arme de défense contre l'ennemi. Car en voyant l'insigne, ils éprouvaient pour elle une sorte de pitié ou de compassion, donc ils se montraient moins féroces.

Toutefois, après un mois et demi, son bouclier devint inefficace contre les habitués. Les attaques commencèrent. Les clients montrèrent leur impatience avec moins de gêne. Les capricieux se firent entendre avec plus de force et les minutieux ne devinrent que plus énervants.

Et lorsque tout ce beau monde se montrait en masse, de six heures à midi, n'accordant à leurs victimes que de petits intermèdes de répit, le combat ne se faisait que plus éprouvant pour Ariane. Sa patience fut mise à rude épreuve.

Dans les premiers mois, elle encaissait les attaques avec un sourire et un calme exemplaire. Elle s'excusait, prenait le blâme sans broncher et se sentait coupable de sa faute, croyant avoir nui au client et à l'entreprise.

Lorsqu'elle se trompait de commande, lorsqu'elle mettait du fromage alors que le client n'en voulait pas, lorsqu'elle oubliait le rabais d'un client, lorsqu'il manquait une sorte de beignes ou de muffins ou lorsque le client revenait vers elle pour se plaindre, Ariane encaissait chaque coup. Comme tous les autres employés. Que ce soit Catherine, Anick, Simon ou les autres employés qu'elle rencontrerait plus tard, tous encaissaient de la même manière. La seule différence était qu'eux, une fois le client parti, se vengeaient à leur manière.

— Sale con !

— Imbécile !

— Tu aurais dû cracher dans son café.

Dans les moments de répit, cachés dans les cuisines, leur forteresse, les victimes se transformaient en bourreaux, attaquant sans pitié l'ennemi qui avait fait la gaffe de brandir le glaive.

Au début, Ariane se contentait d'écouter, un peu trop gênée pour proférer de telles insultes. Mais deux mois plus tard, un dimanche, durant un combat particulièrement pénible, elle fit un faux mouvement et s'échappa du café brûlant sur la main. Cela déclencha une réaction en chaîne : elle renversa la cafetière, renversa le café du client et accrocha Anick, qui fit tomber la boîte de beignes d'un autre client.

Pendant un instant, le champ de bataille se fit silencieux. Tous regardaient Ariane, qui tentait de retenir ses larmes et qui gémissait en maintenant sa main contre elle.

— Ça va? demanda Anick, inquiète.

Ariane hocha négativement la tête, craignant que si elle parlait, un cri de douleur s'échappe de sa bouche. Péniblement, elle ouvrit les yeux, pour constater l'ampleur des dégâts; la cafetière gisait sur le sol, meurtrie, répandant du café partout, se mélangeant aux beignes qui avaient rendu l'âme.

Et en face d'Ariane se trouvait l'ennemi, les clients. C'est alors qu'elle les vit dans toute leur horreur. Ils étaient grands, imposants, menaçants. Ils ne la regardaient pas avec compassion ou inquiétude, mais avec dédain et colère. À travers leurs yeux, Ariane pouvait entendre leurs pensées.

— Petite incompétente. Incapable de servir un café comme du monde!

— À cause d'elle, je vais être en retard. Pourquoi ils l'ont engagée?

— Je ferais mieux de m'en aller ailleurs, sinon j'en aurai pour des heures!

— Merde... Je regrette d'avoir laissé du pourboire... Est-ce que j'arriverais à le reprendre subtilement?

Et devant leur visage dénué de compassion, Ariane avait envie de leur crier :

— Bande de cons! C'est un accident! Je suis humaine! Vous ne voyez pas que j'ai mal à la... Sa main... Ariane y jeta enfin un coup d'œil. Elle eut peur quand elle vit qu'elle était rendue d'un rouge vif et que quelques cloques commençaient à grossir à certains endroits.

— Ari, ça va?

La voix de Catherine la sortit de la contemplation de sa main. En se tournant vers son amie, Ariane sentit des larmes couler sur ses joues.

— J'ai mal à la main, déclara-t-elle simplement d'une voix faible.

Sans un mot de plus, Catherine la prit par le bras et l'entraîna dans les cuisines. Du coin de l'œil, Ariane vit Simon quitter son poste du service à l'auto pour aller aider Anick qui tentait de réparer les pots cassés. Une fois dans la forteresse, Catherine demanda à Myriam de quitter son poste pour aller en renfort au front.

Myriam s'exécuta aussitôt, après avoir lancé un regard compatissant à la blessée. De son côté, Catherine ouvrit le robinet d'eau froide au maximum et plaça la main d'Ariane sous le jet. Instantanément, la blessée se sentit mieux.

— Reste comme ça, ne bouge pas, je reviens, dit Catherine en retournant au front.

Laissée seule dans la cuisine, Ariane attendit, mal à l'aise. Elle se sentait coupable d'avoir flanché et d'avoir mis ses amis dans une situation stressante.

Elle se sentit coupable jusqu'à la clinique, où sa mère l'avait emmenée une demi-heure après l'incident. Ariane se ressaisit seulement quand sa mère lui demanda pourquoi elle s'agitait. Refusant de répondre, jugeant son explication absurde, l'adolescente réalisa que son travail lui demandait beaucoup.

Malgré sa brûlure du deuxième degré (presque troisième dans certaines régions, selon le docteur), Ariane prit conscience que jamais elle ne s'était réellement souciée de sa blessure. Elle pensait seulement au Dim Honuts et aux problèmes qu'elle avait causés.

À cet instant, Ariane songea qu'elle prenait peut-être cela un peu trop à cœur. Après tout, ce n'était qu'un emploi à temps partiel et les clients... Les clients, ces salauds qui n'avaient rien fait, ni même rien ressenti! En sortant de la clinique, Ariane commença lentement à développer une haine absolue envers l'ennemi.

Le docteur lui avait demandé d'arrêter le travail pour trois jours afin que la brûlure cicatrise. Par chance pour le Dim Honuts, l'accident était survenu un dimanche et comme Ariane ne travaillait que la fin de semaine, cela ne leur causa aucun souci. Ainsi, le samedi suivant, la jeune femme fit son entrée dans l'établissement. Elle ne portait plus son bandage, mais sa main montrait encore des plaques rouges à certains endroits.

Dès qu'elle posa le pied dans la cuisine, Catherine et Myriam se jetèrent sur elle.

— Ça va?

— T'es-tu correcte?

— Pourquoi tu ne nous as pas appelées grosse chèv...

— Je vais bien, coupa Ariane pour éviter que Catherine ne la traite de Dieu sait quel animal de ferme (comme à son habitude, pour taquiner). C'était juste une brûlure du deuxième degré. Le lendemain, ça faisait déjà moins mal.

— Ari, ça va? s'écria Anick en entrant dans la cuisine à son tour. Ta main est-tu correcte?

— Oui, oui, sourit-elle. Je vais bien maman. Tout est normal.

Ce qui était faux, car depuis une semaine, elle fulminait contre l'ennemi. Ce samedi-là, elle se sentait d'attaque, prête à faire mordre la poussière à tous ses opposants. Même si elle souriait encore devant les coups de ces derniers, cette fois-ci, elle ressentait la colère, la haine et l'humiliation qui découlaient de sa gentillesse.

Elle comparait cela à se faire cracher dessus pour ensuite dire merci! C'était dégradant et au moins une fois par semaine, elle se demandait si cela valait la peine de continuer. Souvent, durant sa pause-dîner, Ariane passait en revue les avantages et les désavantages de son emploi.

Les désavantages n'étaient pas nombreux, mais ils étaient gros. Il y avait premièrement les heures matinales... Très matinales! Et n'ayant pas de voiture, elle devait demander à ses parents de se lever à 5 h 30 et parfois même 4 h 30 pour aller la mener au Dim Honuts. Et cela l'empêchait un peu de voir ses amies, car elle ne pouvait jamais sortir tard. Et quand elle le faisait, ses nuits se trouvaient réduites à quelques heures. Ce qui nuisait ainsi à ses études. Donc à cause de son horaire, soit elle amputait sa vie sociale, soit sa scolarité. C'était chiant pour elle.

Le deuxième désavantage était l'ennemi, bien sûr. Ariane se repassait en tête les moments humiliants et stressants que cela lui coûtait. Ces vampires, suceurs d'énergie, parasites perfectionnistes et bougres avares! Avec le temps, elle avait réalisé qu'ils se ressemblaient tous.

Mais comme contrepoids, il y avait les avantages de son emploi. Il y avait les pourboires, qui rajoutaient souvent un bon vingt dollars à sa journée. Mais plus important encore, il y avait sa gang. La gang de la fin de semaine.

Ariane n'avait jamais compris comment les employés arrivaient à être si souriants, amicaux, farceurs et gentils, malgré toutes les attaques et les batailles quotidiennes de l'ennemi. Ariane, au bout de quatre mois, avait fait tous les quarts de travail possibles, à l'exception de celui de la nuit. Elle avait travaillé le jour comme le soir, la semaine comme la fin de semaine. Et dans chaque quart, lorsqu'elle travaillait en compagnie de quelqu'un d'autre, elle prenait conscience de cette étrange joie qui semblait habiter les employés. Mais elle ne le comprenait toujours pas...

Et pour le moment, elle ne savait rien de tout cela, car Ariane en était encore à sa première journée de formation et sa pause-dîner venait de se terminer. Dès son retour, elle dut faire face à la bataille du midi, celle où tous les gens du coin semblaient s'être donné le mot pour venir manger en même temps.

C'est justement durant une bataille du midi que le drame survint. Six mois après son embauche, dont un mois et demi en formation, après l'arrivée de quatre nouveaux employés (un gars et trois filles, mais le gars avait démissionné un peu après la fin de sa formation) et un peu après l'augmentation du salaire minimum, Ariane quitta précipitamment le Dim Honuts.

Elle travaillait avec Catherine, Vanessa, une des nouvelles qui avait quitté son ancien emploi dans un club vidéo, et Sandra, une fille qui faisait habituellement les quarts du soir et de la nuit. Mais depuis un certain temps, c'est cette dernière qui s'occupait des quarts de Myriam.

— Rine, sais-tu pourquoi Sandra remplace Mimi ? Ça fait un p'tit bout de temps qu'on ne l'a pas vue.

Catherine regarda Ariane avec un drôle de regard. Pas un de ceux qui font rire, mais un qui inquiète.

— Tu ne le savais pas ? Myriam est partie.

— Ah ouais ? Où ? Elle revient quand ?

— Elle ne revient pas, elle a démissionné. Elle est partie étudier à... Bonjour, bienvenue chez Dim Honuts. Est-ce que je peux prendre votre commande ?

Catherine venait de recevoir un client à la commande à l'auto. Ariane ne sut pas où Myriam était partie, mais elle savait que si son amie avait démissionné, c'était parce que son cégep se trouvait loin... Bouleversée et confuse, Ariane fut prise dans ses songes un moment. Elle réalisait doucement que la gang de la fin de semaine venait de perdre une des leurs. Une double perte, car Simon, l'amoureux de Myriam (eh oui! Ariane l'avait appris quelques jours après le début de sa formation), avait lui aussi démissionné. Deux piliers qui venaient de s'effondrer.

Ariane se sentait déconnectée. Mais une voix stridente et agressante la força à revenir à la réalité.

— Mademoiselle! Mademoiselle!

— Euh... oui?

La jeune femme était désorientée. Elle avait oublié qu'elle se trouvait à la caisse principale et qu'il y avait des clients à servir. Devant elle se trouvait une dame dans la trentaine, au cellulaire ouvert, dont la main couvrait le récepteur. Mais le plus important de tout, c'est que cette dame avait l'air impatient.

— Un café moyen, deux crèmes, deux sucres, commanda rapidement la dame avant de se recoller l'oreille contre son cellulaire.

— Hum... pardon, désolée, j'ai mal compris, s'excusa Ariane.

— Un café. Moyen. Deux crèmes. Deux sucres, répéta dédaigneusement la dame avec un soupir.

Docilement, par automatisme, avec un maigre sourire, Ariane s'exécuta, les mains tremblantes. D'une oreille distraite, elle perçut quelques bribes de la conversation de sa cliente. Elle n'y porta que peu d'attention jusqu'à ce qu'elle réalise que la cliente parlait d'elle.

— Ouais, s'cuse-moi, je suis au Dim... Oui, je devrais arriver dans quelques minutes. Je sais, je suis en retard, mais c'est à cause de la caissière... Oui, c'est vrai. Un genre de pas vite, vite. Ils sont tous de même de toute façon aujourd'hui. En tout cas... Oui, comme je te disais, ça fait un moment que je reçois plus un sou... Je sais... C'est ce que j'ai fait, mais chaque fois que j'appelle chez lui, on me dit que son numéro n'est plus en service... Ça m'étonnerait, mais si jamais c'est ce qu'il a fait, crois-moi que j'vais retrouver ce salaud et il reverra mon avocat...

Ariane se concentra sur le café, préférant ne pas entendre la suite de la conversation. Non, mais! Pour qui elle se prenait celle-là! Comme si elle était la cause de son retard! Elle n'avait qu'à partir plus tôt cette bonne femme-là. Ou mieux encore, elle n'avait qu'à ne pas s'arrêter pour prendre un minable café ! Pourquoi elle ne s'en était pas fait un avant de partir de chez elle ? C'est trop dur à faire ? Ça demande un trop gros Q.I. ? C'est comme ces clients qui viennent le matin et commandent des *toasts* au beurre d'arachides. Quoi de plus frustrant et énervant ! Achetez-vous-en un pot et un pain en tranche, bande de paresseux ! Ça vous reviendra moins cher et ça cessera de causer du trouble (car tout ce qui est allergène est plus complexe à manipuler).

Ariane passa sa petite colère contre les touches de sa caisse en appuyant fortement pour faire passer la pression. Et pendant qu'elle entrait le montant, la dame prit une gorgée de son café et fit une grimace.

— Yark, s'exclama-t-elle. Ce café-là est dégueu- lasse. Y goûte vieux. J'en veux du frais !

Ariane jeta un coup d'œil à la minuterie à côté des cafés et soupira mentalement. Le café venait d'être fait depuis cinq minutes à peine. Ayant perdu son sourire, elle se tourna vers la cliente, qui n'avait même pas pris la peine d'éteindre son cellulaire.

— Madame, notre café vient juste d'être fait. Il est fort improbable qu'il ne soit pas frais.

— Ben j'en veux un autre. Pis chaud !

— Mais il est chaud. On l'a fait il y a moins de cinq minutes, déclara Ariane en montrant la petite minuterie à la dame.

— Faites-en un nouveau, exigea la cliente. Parce que moi, je ne paye pas pour ça.

— Très bien, répondit Ariane en tentant de camoufler sa petite touche d'arrogance. Mais cela va prendre quelques minutes, ajouta-t-elle en sachant que la dame était déjà en retard.

— Parfait, soupira la dame en retournant à son téléphone.

Du coin de l'œil, Ariane observa la petite ligne qui s'était formée derrière la dame au cellulaire. Elle y voyait d'autres clients impatients. Elle voulut appeler Catherine et Valérie, mais d'un regard, elle réalisa que ses deux collègues semblaient déjà en avoir par-dessus la tête avec les sandwichs et le service à l'auto. Résolue à combattre ce front seule, Ariane prit le café « froid » et se tourna, prête à le vider dans l'évier.

— Désolée, j'vais être un peu plus en retard, déclara la dame à son téléphone. Bah... Une incompétente. Ouais, je te dis, j'ai vraiment gagné le *jackpot* avec ça... Ce n'est pas ma journée.

En entendant les paroles de la dame, Ariane figea. Le café dans les airs, menaçant de s'écouler dans l'évier, l'adolescente se dit que c'était la goutte d'eau qui fait déborder le vase. Depuis trop longtemps, elle devait fléchir sous les coups de l'ennemi et se montrer cordiale et serviable. C'en était trop.

Sa patience n'avait mené à rien, sauf à une culpabilité dévastatrice, une haine épuisante et un stress inconvenant pour une adolescente de dix-sept ans. De plus, deux de ses amis venaient de démissionner. Et pour couronner le tout, une bonne femme, même pas foutue d'éteindre son maudit portable, venait lui faire du trouble.

Dans la tête d'Ariane, tout se passa au ralenti. C'était comme si elle se regardait se tourner, revenir sur ses pas, s'arrêter devant la cliente et lui lancer son café « froid » au visage.

Le champ de bataille devint soudainement silencieux, comme lors de l'incident d'Ariane. La seule différence, c'est que cette fois-ci, la victime était dans le clan de l'ennemi. Encore une fois, personne n'osa faire un mouvement. Cela prit le cri perçant de la cliente pour que l'ennemi se ressaisisse.

— AAHHHH! Espèce de folle! Petite conne! Qu'est-ce que... Mais qu'est-ce... Ça fait mal! Ça brûle! Conasse!

— Je croyais que le café était froid, répondit Ariane avec son sourire le plus insolent.

Puis, sans un mot de plus, elle enleva sa casquette et s'en alla dignement vers les cuisines prendre ses affaires et appeler sa mère. Car même si elle avait perdu momentanément ses esprits, elle n'était pas assez stupide pour savoir qu'elle venait, à l'instant même, de signer son renvoi.

Sur son chemin, Ariane vit ses amis la regarder avec un mélange d'admiration, de peur, d'inquiétude et de colère. Et Ariane comprenait leur colère. À cause d'elle, ils allaient avoir des ennuis et elle s'en excusait. Elle ne s'excuserait d'ailleurs qu'à eux seuls. Derrière elle, l'ennemi en furie appuyait fermement les complaintes de leur victime.

— Vous allez en entendre parler !

— J'vais le dire à votre boss !

— J'appelle la police !

Mais pour l'instant, Ariane ne savait rien de toutes ces menaces, de toutes les conséquences et de tous les conséquences qui allaient en découler, car c'était seulement sa première journée de travail.

5
La nouvelle mode

*Merci à David, Fred et Vincent,
cofondateurs de l'idée !*

La nouvelle mode est apparue à cause d'une équipe de documentaristes européens. Ils avaient eu la grande idée de suivre les dernières semaines de vie d'un homme atteint du cancer. Le film, intitulé *Dernier Souffle* finissait avec la mort douce et cruelle de l'homme. Adams Anderson, un homme tout à fait ordinaire de quarante et un ans, divorcé et père de deux enfants, mourait seul, abandonné sur son lit d'hôpital. La dernière image présentait un gros plan sur le visage du défunt et on pouvait entendre le sinistre bruit de son cardiogramme qui confirmait la mort de l'homme. Les derniers instants étaient en temps réel. Il n'y eut aucun trucage.

Dernier Souffle créa un émoi dans la communauté artistique et internationale. Certains disaient que le film était immoral, d'autres acclamaient le génie et l'audace des documentaristes. Et d'un autre côté, certains croyaient enfin avoir trouvé un filon à exploiter au maximum. Ce qu'ils firent, sans hésiter.

Mais l'exploitation se fit doucement, pour ne pas attirer l'attention. La subtilité cessa lorsqu'une émission de téléréalité, *Laisse-moi 15 minutes de gloire*, accueillit une femme atteinte du sida. Dès cet instant, l'émission connut des records d'audience. Les téléspectateurs étaient intrigués par cette jeune et belle femme que la maladie rongeait peu à peu. Ils éprouvaient une telle fascination que la candidate infectée fut la grande gagnante de l'émission.

Malheureusement pour elle, ses quinze minutes de gloire prirent fin deux semaines plus tard, dans la maison qu'elle avait gagnée. L'émoi qu'avait causé le décès de la nouvelle chouchou du monde télévisuel avait engendré des profits aux journaux, revues à potins et émissions spéciales qui avaient été diffusées seulement sur la télévision payante. En voyant tout l'argent qu'avait généré une seule personne, les géants de l'industrie télévisuelle et artistique décidèrent d'en profiter au maximum.

Ils se sont rendu compte que ce que les gens aimaient voir, c'était la mort d'autrui, car elle leur permettait d'oublier la leur et leur faisait réaliser ce qu'était la véritable valeur de la vie et son importance.

Toutefois, pour les géants sans scrupules de l'industrie, les réelles motivations des téléspectateurs et des lecteurs n'avaient aucune importance. Tout ce qui comptait, c'était les profits à venir.

C'est ainsi que le concept *Malade-réalité* fit son apparition. L'industrie incitait de plus en plus les gens atteints d'une maladie à se joindre à des émissions de variétés et de tenter leur chance. Au début, les concurrents se faisaient timides et les quelques courageux ignoraient dans quoi ils s'embarquaient réellement. Tout comme le public, qui découvrait en même temps que les concurrents les épreuves qui les attendaient.

Qu'elles présentent des épreuves de nature psychologique ou physique, que les concurrents se trouvent sur une île paradisiaque ou qu'ils soient enfermés dans une vaste maison pendant trois mois, toutes les émissions de téléréalité avaient maintenant leur malade.

Et certains spécialistes ayant fait des thèses et des études sur cette nouvelle mode vous diront que l'apogée de cette mode fut lorsque la gagnante de l'Île de la Séduction choisit comme vainqueur et nouvel amant un jeune homme prénommé Nicolas atteint de schizophrénie. C'était du jamais vu.

Leur mariage fut le sujet d'une émission spéciale de deux heures qu'on ne pouvait voir que sur la télé payante, bien sûr. Et le taux d'audience atteint par cette émission spéciale battit à plate couture toutes les autres chaînes de télé non payante. Encore une fois, ce fut du jamais vu.

Cependant, qui dit apogée, dit descente. Par la suite, l'intérêt pour ce genre d'émissions cessa d'augmenter. Il diminua même légèrement, mais resta tout de même en tête de liste des cotes d'écoute. Alarmés, les géants de l'industrie se creusèrent la tête pour trouver une solution. Car dans l'industrie artistique, la stabilité n'est pas une norme.

On pourrait croire que la conscience humaine des gens avait fini par refaire surface. Que la population avait réalisé qu'il était immoral et répugnant de voir des personnes malades faire les clowns pour divertir, comme dans une foire aux monstres. Qu'on avait eu un regain de bon sens en voyant qu'il n'y avait rien d'amusant à voir la santé d'autrui se détériorer ou à voir quelqu'un mourir. Car, hélas, des morts, il y en eut. Et en direct en plus. Souvent, dans des souffrances atroces et humiliantes.

Malheureusement, ces morts n'étaient pas la cause de cette baisse d'audience. Au contraire, le public écoutait les émissions en espérant qu'un des malades meure en direct. Ce qui en avait révolté plus d'un. Beaucoup de journaux de gauche et de groupes militants pour la dignité humaine firent des manifestations et des boycotts pour enrayer la diffusion de ces émissions. En vain, dira-t-on, mais au moins, certains avaient essayé.

Cependant, ce que les spécialistes ignoraient, mais que les géants de l'industrie savaient, c'était que la mauvaise publicité reste de la publicité quand même. Plus on en parlait, plus les gens devenaient curieux et regardaient les émissions.

Si la mauvaise publicité n'était pas la cause de cette stabilité, qu'en était donc la cause ? Un jour, l'un des géants eut une idée. Un nouveau concept émergea : *Infection-réalité.*

L'idée de base était la même que celle de *Malade-réalité*, qui était de filmer des gens atteints d'une maladie, sauf à un détail près : les participants étaient choisis au hasard et au départ, ils ne devaient pas être malades. Cependant, le choix des candidats n'était pas totalement aléatoire, car cela aurait pu causer une enquête et une poursuite envers la maison de production pour atteinte à l'éthique et à la santé de l'homme.

Donc durant six mois, la chaîne de télévision distribua des dépliants et fit passer des annonces dans les journaux concernant une nouvelle émission de télé à la recherche de participants. Le nom de la nouvelle émission et son contenu restaient secrets. On pouvait remplir le formulaire de participation par la poste, par courriel ou par téléphone. Tout le monde était bienvenu et on garantissait une célébrité absolue pour les concurrents.

Une foule de gens répondirent et la chaîne fut surprise de constater que personne ne semblait s'inquiéter de la section qui parlait des risques de santé encourus par les participants. Il était pourtant clairement inscrit : « Le participant en question a, à la signature du contrat, conscience des risques qu'il coure en devenant concurrent pour l'émission. Il accepte donc de ne pas tenir la chaîne responsable de toute blessure mineure, grave ou mortelle qu'il pourrait subir, et il en assumera la pleine res-ponsabilité, le cas échéant. » C'est bien la preuve que personne ne lit vraiment les contrats.

Tous les dossiers furent compilés et l'émission put commencer après qu'on fut assuré qu'il y aurait assez de participants pour remplir une saison complète.

La première émission atteint un taux d'audience record. Durant une heure, on voyait des gens de la chaîne de télévision choisir des candidats au hasard dans leurs dossiers, les trouver et les infecter en direct, dans la rue, à leur bureau ou même chez eux.

Une fois le choc de la douleur passé venait le moment critique, soit le moment où l'animateur annonçait d'un ton commercial :

— Monsieur (ou madame), j'ai le plaisir de vous annoncer que vous venez de participer à notre nouvelle émission sur la télévision payante. Nous venons à l'instant de vous inoculer une maladie grave...

Habituellement, l'animateur n'achevait jamais sa phrase, car dès que les mots « maladie grave » sortaient de sa bouche, la pauvre victime s'effondrait sur le sol. Parfois pour pleurer, parfois pour crier sa colère et sa rage. Mais le plus souvent, les gens attaquaient l'animateur et l'équipe technique.

Cette nouvelle émission fit scandale. Mais pas pour les raisons que l'on pourrait croire. Le scandale surgit quelques mois après la diffusion du premier épisode, quand une enquête révéla qu'en fait, les « piégés » n'avaient pas été infectés.

Malgré le contrat signé par les participants, certains membres de la direction s'étaient opposés moralement à l'idée de véritablement infecter des gens. Ils avaient réussi à convaincre les producteurs de mettre un placebo dans les seringues et de faire croire aux gens qu'on venait de les infecter.

Une fois la caméra coupée, l'équipe s'assurait de bien faire comprendre aux participants qu'ils étaient toujours en parfaite santé. Un docteur sur les lieux se chargeait de les rassurer et d'effectuer des tests pour le prouver.

Ainsi, la nouvelle émission de l'heure n'était qu'un tissu de mensonges.

Les téléspectateurs furent choqués et se sentirent trahis. Ils réclamèrent réparation. Cela engendra un boycott, des poursuites, des menaces et plus encore. Les producteurs, les mêmes qui s'étaient opposés au début, voyant tous les coûts qui en découlaient, décidèrent qu'au final, il serait moins coûteux de réellement infecter les participants. Et ils l'annoncèrent dans un communiqué de presse, à la grande joie de tous. Les conséquences pourtant bien prévisibles arrivèrent peu de temps après.

Au début, on infecta les gens avec un peu n'importe quoi. L'important, c'était la réaction des victimes. Plus la personne réagissait fortement, plus les gens en redemandaient. Mais lorsqu'une fondation visant à sensibiliser les gens contre le VIH proposa de cofinancer l'émission, les producteurs approuvèrent unanimement. La seule condition de la fondation fut que les victimes soient infectées du VIH. Une demande étrange. Même les producteurs furent troublés, mais approuvèrent. De l'argent, c'est de l'argent. Peu leur importait la symbolique bizarre que certains zinzins voulaient faire passer par des moyens radicaux.

Les spécialistes de cette nouvelle mode parlent peu des victimes dans leurs analyses portant sur le sujet. Ce qui les intéressait davantage était de voir le profit économique par rapport à la souffrance humaine ou l'horreur visuelle par rapport au taux d'audience. Bref, ils ne s'intéressaient qu'aux chiffres.

Pourtant, quelques journalistes audacieux de l'époque de la nouvelle mode tentèrent d'avoir des entrevues exclusives avec les infectés. Quelques-uns parlèrent, mais plusieurs refusèrent, jugeant que les médias avaient suffisamment tiré profit de leur malheur.

Pour ceux qui osèrent se confier, on put en tirer ces témoignages :

« *Tout est arrivé si subitement... Je venais de porter ma petite dernière à la maternelle et je me rendais à mon travail, qui se trouvait à quelques rues. J'ai... j'ai tout bêtement tourné le coin de la rue quand soudain j'ai senti quelqu'un m'approcher rapidement. Il m'a agrippé. J'ai tenté de me débattre. J'ai essayé de le frapper, j'ai crié... j'ai hurlé pour qu'on vienne m'aider, mais je voyais les gens autour de moi continuer leur chemin. Ensuite, j'ai vu des caméras se positionner en face de moi. Et c'est là que j'ai compris...* »

« *C'est arrivé comme ça. J'étais assise dans un parc. Il faisait beau et j'attendais mon amoureux. On allait fêter nos six mois de fiançailles quand brusquement, on m'a plaquée au sol. J'étais si surprise que je n'ai même pas pensé crier. Puis, j'ai vu la lentille d'une caméra se braquer sur mon visage et j'ai senti une brûlure dans le cou. Une piqûre... J'ai pleuré en réalisant que je venais d'être infectée.* »

« *Je sortais de ma voiture, bien tranquille. Je ne demandais rien à personne. Je me souviens avoir vu ma voisine et l'avoir saluée, mais à peine j'ai levé le bras qu'on m'a plaqué contre le capot de ma voiture et qu'on m'a piqué. »*

Pour conclure, les spécialistes s'entendent pour dire que cette nouvelle mode prit fin une année plus tard. Les procès et les dédommagements qui avaient ruiné les producteurs n'en furent pas la cause, ni les mouvements de protestation massifs. Les cotes d'écoute n'en furent pas la raison non plus, ni même la peur constante qu'avait chaque personne de remplir un formulaire qui contiendrait un contrat camouflé. La crainte de se faire infecter, le stress incessant qui suivait tout le monde comme une ombre maléfique et qui les faisait sursauter à chaque bruit suspect, le frisson qui parcourait les gens à l'idée qu'un de leurs proches soit à ladite émission, non, rien de tout cela ne fut la cause de l'essoufflement et de la fin de ce genre télévisuel. Cette mode prit fin tout simplement parce que durant le tournage de l'émission, une des victimes était le fils unique du président. On n'a jamais su ce qui est arrivé aux producteurs de l'émission de téléréalité. Disons simplement que personne n'a jamais osé s'aventurer sur ce terrain, de peur de raviver la colère du président.

FIN

Quelques données de la part des statisticiens :

- 73 émissions d'*Infection-réalité*, 1 heure par émission, 3 infectés par émission.

- 132 participants infectés au VIH, le reste des participants étant infectés par des maladies dont les producteurs ont refusé de dévoiler le nom.

- 325 procès contre la maison de production, la chaîne, les producteurs et toute personne impliquée dans le projet. 101 procès furent gagnés en faveur des victimes.

- Les dédommagements pour les victimes n'ont jamais dépassé 1 000 000 $.

- Le concept *Malade-réalité* s'échelonne sur environ 5 ans. Le concept *Infection-réalité* s'étend sur un peu moins de 2 ans.

- Les profits générés par les émissions *Malade-réalité* et *Infection-réalité* se chiffrent dans les milliards.

- Personne ne se souvient du nom de la gagnante de *Laisse-moi 15 minutes de gloire*.

- Le film *Dernier Souffle* fut banni dans plusieurs pays et ne gagna aucun prix. Le jeune cinéaste n'a jamais pu faire d'autres films et selon la rumeur, il aurait été infecté.

6

L'indiffErrance

Il y a ceux qui vivent,
ceux qui veulent vivre et ceux qui
souhaitent ne plus vivre.
Et ceux qui arrêtent tout simplement.

Ma vie n'est pas du genre à finir par : « ... et ils vécurent heureux jusqu'à la fin des temps. » comme dans les contes. Je crois plutôt qu'au mieux, on pourra lire sur mon épitaphe : « ... et c'est ainsi qu'il vécut », sans plus.

Mais bon, rendu à mon âge, on ne s'en fait plus trop avec ces petites choses.

L'histoire que je vais vous conter a commencé l'année de mes quarante-trois ans. À cette époque, l'homme que j'étais avait réalisé que tout ce qu'on m'avait enseigné lorsque j'étais plus jeune au sujet de l'accomplissement de soi n'était que foutaise. L'amour, l'amitié, l'argent, la grosse voiture, la grosse maison, la piscine, la belle femme attentionnée, les enfants heureux et même le labrador blond, tout ça, c'était de la merde.

On peut avoir tout ça et être quand même profondément malheureux. Je crois personnellement que c'est en atteignant l'indifférence qu'on parvient à son accomplissement personnel. tre indifférent, c'était le bonheur, c'était l'idéal !

L'indifférence amène un détachement complet à propos de tout. Qu'on soit triste, heureux, seul ou en groupe, que les pires malheurs du monde nous tombent dessus comme les meilleurs, on s'en moque complètement. L'indifférence nous fait hausser les épaules et on se dit simplement : « Ouin et ? ».

Dit comme ça, toute l'idée peut paraître déprimante et peu accueillante, mais imaginez : l'indifférence fait en sorte qu'on ne craint plus la mort.

Parce qu'au final, on se dit aussi : « Ouin et ? ».

À quarante-trois ans, c'est ce que je pensais. Mais depuis, ma vision a un peu changé. Et comme dans chaque histoire, ce fut à cause d'une fille et d'un amour impossible.

❧

J'ai quarante-six ans, je suis propriétaire d'un club vidéo commercial depuis près de onze ans et je vis seul depuis toujours. En tant que « boss », j'en ai vu de toutes les couleurs avec mes employés. Des zélés, des lèche-culs, des passionnés, des végétatifs, des voleurs, des menteurs, des employés modèles, sans oublier ceux qui sont mystérieux et qui vous laissent une impression bizarre.

Amy faisait partie de la catégorie des gens mystérieux. Je l'ai embauchée il y a trois ans. Elle avait dix-sept ans, plutôt jolie, avec un certain charme et des yeux magnifiques, mais ce qui m'avait choqué le plus, c'était de voir à quel point elle semblait blasée et indifférente à tout. Quand je lui ai fait passer l'entrevue, elle était habillée d'une manière plutôt négligée, avec un pantalon de flanelle qui ressemblait à un bas de pyjama. Ses courts cheveux noirs étaient embroussaillés. On aurait dit qu'elle venait de se lever du lit.

Et plus je lui parlais, plus je réalisais qu'elle se foutait de tout. Elle me répondait avec une lassitude qui s'approchait souvent de l'arrogance, en parlant très lentement, comme si le temps qui passait ne lui faisait pas peur. Les yeux dans le vide, elle semblait fixer une chose invisible tandis qu'elle répondait d'une voix calme. Trop calme, comme si rien ne pouvait la surprendre, comme si elle n'attendait plus rien de... De quoi ? D'elle-même ? Des gens ? De la vie ? Tout cela m'ébranla, car elle représentait l'idéal d'indifférence que je cherchais à atteindre. Trois ans plus tard, avec le recul, j'admets avoir été jaloux. Et c'est par jalousie que je l'ai embauchée. Je souhaitais l'observer, l'analyser, l'examiner afin de comprendre comment elle avait atteint ce niveau-là aussi vite.

À son embauche, je l'avais avertie qu'elle risquait de travailler souvent. Et en haussant les épaules, de sa voix détachée, elle m'avait simplement répondu :

« Bien... Ça passe le temps. »

Par cette phrase, ma vie changea.

❦

Deux ans après l'embauche d'Amy, j'avais appris plusieurs choses sur elle. Je savais qu'elle n'allait pas à l'école puisqu'elle travaillait en moyenne trente-six heures semaine et qu'elle ne disait jamais non pour remplacer un autre employé. Je devinai qu'elle n'avait pas de chum et que sa vie sociale devait se limiter aux clients et aux employés du magasin.

Je savais qu'elle aimait bien travailler avec Vanessa, une fille que j'avais embauchée un an après Amy. C'est d'ailleurs Amy qui s'était occupée de la formation de Vanessa et elles avaient sympathisé... dans la mesure où Amy pouvait sympathiser avec quelqu'un. Disons qu'à plusieurs reprises, je les avais vues en train de bavarder amicalement et de rire en parlant de films. Je m'arrangeais donc pour les faire travailler ensemble le plus souvent possible.

Je savais aussi qu'Amy détestait Claude, un autre employé que je mettrais dans la catégorie des zélés. Dans l'ensemble, il n'était pas un mauvais gars, quoique son perfectionnisme excessif me tapait à l'occasion sur les nerfs. Quoi qu'il en soit, je ne savais pas ce qui s'était passé entre eux, mais je m'arrangeais pour ne jamais les faire travailler ensemble.

J'avais également compris comment Amy faisait pour fermer le soir à vingt-trois heures et ouvrir le lendemain à dix heures, même si elle habite à environ quarante-cinq minutes de vélo du magasin. Amy se déplace toujours à vélo, sauf l'hiver, où elle prend l'autobus. Pourtant, elle n'est jamais arrivée en retard. Et ça, je le sais, car dans le placard de la salle de bain des employés, j'ai aperçu un sac de couchage et un oreiller rangés dans un sac en plastique bien camouflé par les manteaux, une pelle et des produits ménagers. Eh oui, j'ai réalisé à cette époque qu'Amy dort parfois dans le club vidéo.

Je lui en avais glissé un mot et elle m'avait longuement regardé avec son habituelle expression de vide dans les yeux. Et tranquillement, elle avait rétorqué :

— Ouin et ? Toi, tu tripes sur des p'tits garçons de sept ans et moi je dors sur mon lieu de travail. Chacun son truc.

Ah oui ! je crois que j'ai oublié de mentionner que je suis enregistré comme pédophile par la police. J'ai été arrêté quand j'avais vingt-huit ans à cause d'un réseau de sites de pornographie infantile. J'ai écopé de trois ans de prison, mais après dix-huit mois, j'ai été remis en liberté conditionnelle pour bonne conduite. Je devais toutefois rencontrer un psychologue quatre fois par semaine et j'ai suivi une sorte de thérapie de groupe... que j'ai abandonnée au bout de quelques semaines. Les gens là-bas étaient trop bizarres. Mais j'ai continué ma thérapie personnelle pendant deux ans et c'est même mon thérapeute qui a trouvé le job que j'occupe présentement.

Officiellement, aux yeux de la loi et de mon thérapeute, je ne suis plus un danger pour la société, mais je représente quand même une menace. Un dossier de pédophile, ça vous colle à la peau. Mais bon, je tiens à préciser, sans trop vouloir m'étaler, que je n'ai jamais osé imaginer toucher un enfant. Je suis un voyeur avec une double déviance, soit une attirance envers les enfants. Je n'ai jamais touché un enfant, ni porté préjudice à un enfant directement. Cependant, je sais que je suis à risque et que je suis une bombe à retardement, une menace, donc... Eh bien ! ça fait près de vingt ans que je me contrôle et je ne suis jamais retourné sur un site de pornographie infantile... Enfin presque, mais bon, retournons à l'histoire d'Amy, c'est celle qui vous intéresse, non ? Je tenais juste à préciser rapidement un petit fait important sur ma vie pour que vous ne me jugiez pas trop rapidement.

— Comment sais-tu ça ?

— Les gens parlent des fois, avait-elle répondu.

— Les clients ? m'étais-je indigné.

J'avais été un peu effrayé que des clients le sachent. Si les rumeurs s'étaient intensifiées, j'aurais pu perdre ma clientèle, me faire renvoyer, perdre mon anonymat... Les menaces auraient commencé et l'enfer du début de ma trentaine se serait répété. Je ne voulais pas revivre ce calvaire de honte et de culpabilité.

— Ouais. Je les laisse parler, mais je les trouve pas mal cons, avait-elle lâché avec désinvolture.

Je crois qu'à ce moment-là, elle n'aurait pas pu être plus belle.

— Cons?

— Ouais. Ils sont là, genre, à parler dans ton dos de choses qu'ils ne connaissent même pas. Les pires, c'est les mamans qui me disent que je suis ben brave et ben courageuse et ben désespérée pour travailler avec un patron violeur d'enfants et Bla Bla Bla. Dans ces moments-là, j'ai envie de leur cracher à la figure. Je hais la fausse pitié et la fausse compassion. C'est dégueulasse. C'est comme si on me prenait... je ne sais pas... C'est comme si on me prenait deux fois pour une niaiseuse. Je préfère encore mieux ceux qui m'insultent en disant que je n'ai pas de morale pour travailler avec un patron pédophile. Avec eux, c'est plus facile de répliquer. Je peux leur répondre qu'ils devraient en revenir de tout ça. Que ça fait plus de dix ans et qu'il ne faut pas avoir de vie pour surfer sur les sites de recensement des pédophiles du gouvernement. Et en plus, t'as touché personne, t'as juste été sur des sites. Ce n'est pas si pire que ça. Quand on pense qu'y a des filles de quatorze ou seize ans qui posent dans des publicités explicites et que les gars, surtout les adultes, fantasment dessus... C'est pareil, quoi !

Amy s'était arrêtée un instant, comme si elle venait de prendre conscience d'une grande révélation existentielle.

— Dans le fond, peut-être qu'on est tous pédophiles... Puisqu'on tripe tous sur les modèles
prépubères qu'on nous montre partout.

Elle avait prononcé chaque mot avec un calme déconcertant et une indifférence à rendre mal à l'aise n'importe qui. Comme si tout cela était banal.

— Alors... Si je comprends bien, ça ne te dérange
pas ? Je ne te dégoûte pas ?

Amy avait alors détourné la tête et avait fixé le vide avant de me répondre en haussant les épaules, comme à son habitude :

— Ça n'a rien à voir. Disons que je sais que tu ne me feras pas de mal. Ni à moi, ni à aucune personne qui m'est chère.

Et le sujet fut clos.

❦

Quelques mois plus tard, plusieurs choses avaient changé et d'autres non. Amy et Vanessa travaillaient toujours au club vidéo, mais Claude avait démissionné pour aller à New York .

Amy semblait toujours aussi indifférente et blasée, sauf que je la surprenais un peu plus à sourire et à être amicale avec les clients. Si, au début, elle faisait le moins d'efforts possible, maintenant, elle prenait au moins la peine de les saluer et d'aller leur parler pour les conseiller.

Je sais aussi que, sans mentir, elle avait dû écouter presque tous les films que mon club vidéo contenait. Depuis un peu plus de deux ans, chaque soir, je la voyais partir avec des films, nouveautés ou anciens, étrangers ou purement américains et même avec ceux qui n'étaient offerts qu'en version anglaise. Sans compter les nouveautés qui rentraient toutes les semaines, il devait bien lui manquer moins d'une cinquantaine de films à visionner. C'était de la folie, surtout qu'elle ne se servait même pas de ses connaissances pour conseiller les clients.

Elle m'avait déjà répondu que c'était pour passer le temps à la maison, car c'était souvent vide et trop tranquille. Je n'avais pas insisté. Je n'insiste jamais, c'est toujours plus simple ainsi.

Mais c'est lors d'une chaude soirée de juillet que l'histoire s'est compliquée. Car un gars était venu déranger la tranquillité de notre club vidéo.

C'est en questionnant Vanessa que j'avais su ce qui s'était passé. Pendant qu'elle fermait, Amy avait oublié de barrer la porte d'entrée, comme à son habitude, car elle avait toujours de la difficulté avec la serrure. Et je reconnais que la porte se barre mal de l'intérieur. Mais bon, alors qu'elle éteignait les lumières, elle s'était dit qu'il fallait être con pour ne pas comprendre qu'à vingt-trois heures, quand les lumières sont éteintes, c'est que c'est fermé.

Et pourtant, il y avait eu un con. Un con qui était entré deux minutes après que les lumières avaient été éteintes. Amy, ayant entendu la présence du gars, avait fait ce que toute jeune femme normale aurait fait. Elle avait pris la barre de métal qu'on utilisait pour éteindre l'écran de nos télévisions et elle l'avait assommé d'un coup solide sur la tête. Le gars était tombé dans les pommes quelques secondes. Amy allait appeler la police quand il s'était réveillé et qu'il s'était lamentablement expliqué.

— Qu'est-ce qu'il voulait? avais-je demandé à Vanessa.

— Juste retourner ses films pour ne pas avoir de retard. Amy ne m'a pas raconté toute l'histoire qu'Adams lui a contée, parce qu'à ce qu'il paraît, c'est long pour rien, mais bon, disons simplement que ce gars-là n'est pas prêt d'oublier sa nuit.

— Est-ce qu'il va porter plainte? m'étais-je inquiété.

— Amy m'a dit que non, elle s'est arrangée avec lui.

En mon for intérieur, je savais que l'histoire serait loin d'en rester là, mais sur le coup, je m'étais permis d'y croire et de continuer ma journée comme si de rien n'était.

C'est deux semaines plus tard que j'avais appris que cet Adams n'avait pas lâché prise. En passant un après-midi pour m'occuper de la paperasse, j'avais vu Amy accoudée au comptoir, en train de parler avec un jeune homme de son âge. En fait, il serait plus juste de dire qu'Amy était accoudée au comptoir en train d'écouter distraitement un jeune homme de son âge. Car ce dernier avait semblé être le seul à alimenter la conversation.

Lorsqu'Amy m'avait aperçu, j'avais vu dans ses yeux qu'elle était soulagée de me voir arriver.

Je m'étais alors avancé vers elle, tout souriant.

— Salut, avais-je dit simplement. Grosse journée ?

— Pas assez, avait-elle marmonné en faisant allusion au fait qu'avoir été un peu plus occupée avec des clients, elle n'aurait pas eu à se coltiner la présence de celui que j'avais deviné être Adams.

— Bon... Ben je reviens dans quelques minutes, l'avais-je avertie en me dirigeant vers l'arrière-boutique.

— C'est ton boss? avais-je entendu Adams
demander à Amy.

— Ouais... Il est ben gentil...

— Il le semble.

— C'est un pédophile, avait-elle lâché.

Je ne pouvais pas voir le visage d'Amy à ce moment-
là, mais j'avais une bonne idée de ce qu'il pouvait
avoir l'air : neutre, mais avec un léger sourire en coin,
signe d'une provocation flagrante dans le but de faire
fuir Adams. Malgré tout, même en sachant que son
intention n'était pas de me dénigrer ou de me
dénoncer, qu'elle avait simplement espéré qu'Adams
était comme n'importe quel client avec une morale,
cela m'avait beaucoup blessé. À un point tel que je
n'avais plus porté attention au reste de la discussion.

J'avais seulement deviné que la tactique d'Amy
n'avait pas fonctionné quand j'étais revenu la voir
une demi-heure plus tard et qu'Adams était toujours
là. J'avais pu voir dans les yeux impassibles de mon
employée qu'elle en avait ras-le-bol de ce gars-là.

— Écoute, mon gars, étais-je finalement inter-
venu avec une voix forte. Si tu n'es pas ici

pour louer des films, je te demande de partir.
Tu déranges mon employée dans son travail.

— Oh! je... Ben je vais aller regarder un peu les
films, avait déclaré Adams avec un sourire
d'excuse.

— Si jamais il te cause du trouble ou qu'il te
harcèle, appelle la police, avais-je dit à Amy
lorsque le jeune homme fut suffisamment loin
pour ne pas m'entendre.

— Hum, hum... Désolée, avait-elle dit sans cesser
de fixer le vide.

Désolée... Désolée pour Adams ou pour m'avoir
dénoncé devant un parfait inconnu? Je ne savais
pas pourquoi elle avait dit ça, mais j'avais accepté
ses excuses.

❧❦

Toute l'indifférence du monde ne semblait pas
arrêter Adams. Je le voyais presque tous les jours
(car Amy travaillait presque tous les jours) et de
temps en temps, je les entendais parler. J'étais
obligé d'admettre à contrecœur que c'était un bon

p'tit gars. Il essayait sincèrement de sympathiser avec Amy, à un point tel qu'il en faisait pitié. Il était drôle et charmant, et discret quand il y avait des clients. Je ne m'étonnais même plus de le voir accoudé au comptoir ou à un mur, en train de bavarder avec Amy, qui, fidèle à elle-même, affichait toujours son air blasé et indifférent.

Si je m'étais déjà extasié devant cette attitude, à ce moment-là, elle me rendait fou. J'étais attristé de voir Amy agir ainsi et manquer sa chance avec Adams, qui faisait des pieds et des mains pour une once d'intérêt. Certains jours, j'avais envie de la gifler et de lui crier de vivre sa vie et de cesser d'être toujours neutre, insipide, fade, voire ennuyée alors qu'elle n'avait que dix-huit ans.

Et je l'avais appelée, un soir, un peu avant qu'elle ne ferme le magasin.

— Allo, m'avait-elle dit en ayant reconnu mon numéro sur l'afficheur.

— Amy, est-ce que je te dérange?

— Non, c'est vide.

— Hum... Je ne sais pas trop comment te dire ça... Écoute, je ne connais pas très bien Adams, mais... C'est un bon gars et je crois que si tu lui accordais juste une petite chance, tu pourrais être surprise et peut-être vivre quelque chose de bien... Amy? Es-tu toujours là?

— Depuis quand tu as décidé de te mêler de ma vie? avait-elle demandé sur un ton froid.

— Depuis que tu l'as fait, avais-je répliqué, fatigué. Mais écoute, j'ai l'impression qu'y a personne autour de toi qui réagit, que ce soit ta famille ou tes amis, alors... Je me suis dit que si ce n'était pas moi, ça ne serait personne.

Il y avait eu un autre silence où je n'avais entendu qu'un lourd soupir de la part de mon employée.

— Adams est gentil, avait-elle accordé. Beau, drôle... Il a du goût en matière de films, il aime Nirvana et les Doors... Bon, il aime des p'tits rappeurs de merde, mais personne n'est parfait.

J'avais souri en entendant Amy parler de lui avec une voix autre que celle de l'indifférence. Je ne dirais pas qu'il y avait de l'affection et encore moins de l'amour... mais disons simplement qu'elle avait eu un ton moins indifférent qu'à l'habitude.

— Mais je ne peux pas, avait déclaré mon employée après un silence.

— Pourquoi ? avais-je insisté.

Et je n'en connais pas la raison, peut-être était-ce dû à la fatigue ou à l'accumulation de souffrances, mais cette journée-là, j'ai appris le secret de l'indifférence d'Amy. Et c'est là que ma vision de la chose s'est bien assombrie.

❧

Le soir même, je décidai de changer l'horaire d'Amy. Je voulais parler à Adams. C'est pourquoi le lundi matin suivant, il était tombé nez à nez avec Vanessa.

— Où est Amy ? avait-il demandé en se passant des politesses.

— Je la remplace. Une urgence, avait déclaré Vanessa.

— Une urgence ! s'était-il étonné.

— Adams ! l'avais-je appelé en sortant de l'arrière-boutique. J'aimerais te parler en privé, avais-je dit en lui faisant un signe de la main.

Mal à l'aise, il m'avait suivi et s'était assis lourde-
ment sur la chaise pliante qui se trouvait en face de
la mienne. Il avait joué frénétiquement avec ses
mains, nerveux.

— Écoutez, je sais que ma présence peut
déranger, m'avait-il devancé. Mais je loue tout
le temps un film ou j'achète toujours de quoi
quand je viens ici. Et... et... et même si ça ne
vous regarde pas, je vous le dis; je suis
sincèrement intéressé par Amy.

— Mais elle, elle ne l'est pas, avais-je déclaré. Tu
ferais mieux de l'oublier et de te trouver une
autre p'tite fille qui te montre de l'intérêt. Ça
devient stupide tellement c'est désespérant.

Adams avait semblé insulté. Et avec le recul, peut-
être avais-je été un peu loin. Mais je voulais lui faire
réaliser qu'il n'aurait jamais aucune chance avec
Amy et qu'il ferait mieux de tout laisser tomber.

— Pourquoi je vous écouterais? avait-il lâché
avec mépris. Qu'est-ce que vous connaissez
aux filles pour me parler comme ça? Vous
n'êtes rien qu'un...

Il s'était arrêté net, ne voulant pas gaffer et en subir les conséquences. Mais il était trop tard, il avait déjà trop parlé.

— Je ne suis qu'un? Qu'un quoi? avais-je insisté devant le silence d'Adams.

Mais il avait refusé de répondre et avait préféré regarder le plancher en espérant pouvoir disparaître en dessous.

— Un pédophile? avais-je continué. Oui, j'en suis un et je dois vivre avec. Mais ça ne te donne aucun droit de me juger, car à ton âge, j'étais exactement comme toi. Et je fais des efforts. De gros efforts! Tous les jours. Imagine passer chaque seconde de ta vie à combattre quelque chose en toi qui t'effraye et te dégoûte. Imagine recevoir et craindre le mépris de tous ceux qui te connaissent ou qui connaissent ton secret. C'est dur, tu n'as pas idée... Surtout avec tout ce qu'on nous montre dans les journaux ou à la télé. Le pire, c'est que je n'ai jamais touché un enfant... Je n'ai jamais été directement en contact avec un enfant pour faire quoi que ce soit, mais je suis considéré sur le même pied que tous les autres monstres qui font mille fois plus que moi.

Je m'étais arrêté une minute pour reprendre ma respiration et pour remettre mes idées en place. Ce n'était pas moi le sujet de la discussion, c'était Amy. Je devais revenir à elle.

— Je reconnais, avais-je repris avec plus de calme, je reconnais que je n'y connais pas grand-chose aux filles, mais j'en connais assez sur la vie pour te dire que quand quelque chose ne vaut pas les efforts que l'on fait, on devrait laisser tomber.

Il y eut un silence. Finalement, Adams avait relevé la tête.

— Est-ce que vos efforts en valent la peine ? m'avait-il demandé.

Je lui avais fait un sourire franc.

— Il y a des jours où je me dis que oui, d'autres que non... Mais moi, contrairement à toi, je n'ai pas le choix, parce que si je laisse tomber, c'est la prison.

Trois jours après mon entretien avec Adams, je ne l'ai plus jamais revu au club vidéo. Au début, je croyais que c'était à cause de moi, jusqu'à ce que je demande innocemment à Amy :

— Où est Don Juan ?

— Dans la section drame, m'avait-elle répondu sans lever les yeux de son livre.

Étonné, j'avais jeté un coup d'œil dans ladite section, sans voir personne.

— Il n'y a personne...

— Quoi ? avait demandé Amy en levant finalement les yeux, un peu confuse. Hum... Est-ce que tu es sûr qu'on parle de la même chose ?

— Je parlais d'Adams.

— Ah ! je pensais que tu parlais du film avec Johnny Depp, avait-elle répliqué en haussant les épaules et en retournant à sa lecture.

— Alors, où il est passé ?

— Adams ?

Encore un haussement d'épaules. Je commençais réellement à en avoir assez de cette attitude. Cela me faisait compatir pour les personnes de mon entourage. Dire que j'avais essayé de ressembler à ça...

> — Disons que je crois qu'il a compris que ça ne marchera jamais entre nous, avait-elle déclaré.

❧

Un an a passé depuis cet incident. J'ai quarante-six ans et ma vision de la vie a bien changé. Maintenant, je n'essaye plus de ressembler à Amy, mais bien de la changer. Et je sais que l'on dit qu'il est impossible de changer les gens, mais au moins cela me permet de me concentrer sur autre chose que sur... mon envie malade de voir des sites illégaux, par exemple.

De temps en temps, lorsque je suis assis dans mon bureau pour tuer le temps et éviter de retourner dans ma maison horriblement silencieuse par son vide, je pense à Adams. Je m'imagine ce qu'Amy a dû lui dire pour qu'il ne revienne plus. De ce que je connaissais du jeune homme, je peux affirmer que les banalités générales n'auraient pas déteint sur son enthousiasme. Un simple « je ne t'aime pas » ne l'aurait pas découragé.

Selon moi, Amy a dû lui dire ce qu'elle m'a dit il y a un an.

Je m'imagine que cela a dû se passer le soir. Ça devait être un moment tranquille, il ne devait pas y avoir beaucoup de clients... Du moins, je l'espère, car la conversation n'était sûrement pas très agréable à entendre et Amy ne devait pas être d'humeur à se faire interrompre.

Adams devait revenir de son souper. Il devait être souriant comme à son habitude. Et Amy avait dû décider, cette journée-là, d'en finir une fois pour toutes avec l'élément perturbateur de sa routine.

— Salut ! avait dû dire Adams.

— Tu dois partir.

Bon, peut-être qu'Amy avait eu la politesse de répondre à son bonjour et peut-être même lui avait-elle demandé comment il se portait, mais dans ma tête, je supprime toujours les dialogues inutiles. J'en entends déjà assez dans les films et les émissions à la télévision.

— Pourquoi? C'est ton patron qui t'a dit de me dire ça? avait dû s'indigner Adams.

— Non, il voulait que je sorte avec toi. C'est moi qui veux que tu t'en ailles.

J'imagine qu'Amy devait être impassible comme à son habitude, mais qu'elle s'était retenue pour ne pas faire trembler sa voix. J'aime à penser qu'elle avait tenu au moins un peu à ce jeune-là. Que cela lui avait fait un pincement au cœur de lui dire de partir. Adams avait réussi à la rendre un peu plus joyeuse et sympathique. Même si elle le niait, je voyais bien qu'elle regardait plus fréquemment l'horloge du magasin, attendant la visite quoti-dienne du jeune homme. Du moins, c'est ce que j'aime croire. Ça me donne l'espoir que tout n'est pas perdu pour Amy.

— Mais pourquoi? Je croyais que tu m'aimais bien, avait sûrement plaidé Adams.

— Eh bien non. Je ne t'aime pas, avait-elle proba-blement dit en espérant mettre fin à la discussion et le voir enfin partir.

— Mais je t'aime, moi.

Adams avait sans doute joué le tout pour le tout en avouant ses profonds sentiments. Et je ne doute pas un instant de la sincérité qui avait dû faire vibrer sa voix. Et dans ma tête, je mets toujours en scène Amy qui hésite à cette déclaration. Comme si elle avait un doute et qu'elle songeait à se rétracter.

— Tu ne peux pas m'aimer.

— Si je peux! Tu es belle, tu as du caractère. Tu es indépendante et tu es sincère avec tout le monde. Tu ne te gênes pas pour critiquer ou dire la vérité que personne ne veut entendre.

— Je suis méprisable, avait dû couper Amy. Je suis méchante! Tu ne peux pas m'aimer et tout ce que tu dis, ça ne vaut rien. Tu ne peux pas m'aimer parce que je ne suis pas une bonne personne.

— Personne n'est parfait, mais...

— Non, tu ne comprends pas. Je ne suis pas une bonne personne.

L'insistance d'Amy sur ce point avait sûrement intrigué Adams, qui avait dû se taire et l'écouter attentivement. À ce moment de l'histoire, je m'imagine qu'Amy avait laissé tomber son masque et qu'elle lui avait parlé avec une émotion qu'on ne lui connaît pas. Avec intensité.

— Écoute, je crois qu'il est temps que tu comprennes et acceptes que tu ne peux pas m'aimer. C'est impossible.

— Mais pourquoi ? Tu as un chum ?

— Non, avait-elle dû répondre froidement. J'en avais un par contre. Y a un bout... Y a trois ans.

Dans ma tête, j'aime m'imaginer qu'Amy avait le regard nostalgique, comme si elle se souvenait d'une belle époque perdue. Même si cela avait duré une demi-seconde, j'ai besoin de croire qu'elle l'a fait.

— Je travaille tout le temps, avait-elle continué en redevenant glaciale. Je ne fais que ça. Je ne vais plus à l'école. Je dors même dans le club vidéo le soir. Et tu sais pourquoi ? Parce qu'il n'y a personne qui m'attend à la maison.

— Mais ta famille... C'était la fête de ta mère il y a deux semaines.

— Comment tu sais ça ? Je ne te l'ai jamais dit.

— Ben... J'suis venu un soir et c'était Vanessa qui travaillait à ta place à cause de l'anniversaire de ta mère...

— J'ai menti.

— Pourquoi ?

— Parce que Vanessa avait besoin de croire que je voyais ma famille. Elle commençait à me taper sur les nerfs avec toutes ses remarques.

— Mais pourquoi ?

— Pourquoi quoi ?

— Pourquoi tout ça ?

— Parce que ma famille est morte, bon !

Je souhaite qu'elle ait crié. Qu'elle ait pleuré. Que cela l'ait chamboulée.

— Il y a trois ans, ma famille est sortie au restaurant et est allée voir un film après. J'avais menti pour ne pas y aller. Je voulais voir mon chum. Mes parents ne l'aimaient pas beaucoup, alors on se voyait en cachette. Je me disais que ça serait agréable de passer quelques heures avec mon chum, chez moi. Et on s'est bien amusés. Je dois admettre, c'était une très belle soirée. On s'est commandé une pizza et on a piqué de la vodka dans la réserve de mes parents. On a écouté un film et j'ai dû m'endormir, à cause de l'alcool, parce que je ne me souviens pas de la fin. C'est le téléphone qui m'a réveillée. C'est ma mère qui m'appelait pour me dire qu'ils revenaient bientôt et pour me dire de ne pas me coucher trop tard. J'étais dans un état second à cause de la vodka et de la fatigue, donc je ne sais pas ce que je lui ai répondu, mais ça devait ressembler à un « okay, ouin, bye! ». J'ai commencé à angoisser. Je ne voulais pas que mes parents sachent que mon chum était venu. Je lui ai dit de partir... Je le lui ai ordonné plutôt. On peut presque dire que je l'ai poussé dans la voiture. Je me suis dépêchée de faire disparaître toutes les preuves de sa présence dans la maison, mais au final, ça n'a servi à rien. Parce que c'est la police qui a sonné chez moi. Mes parents avaient eu un accident. Ils avaient fait un face-à-face. Ma mère et mon père sont morts sur le coup. Mon petit frère aussi. Sa ceinture n'était pas attachée. Le p'tit criss. Il ne l'attachait jamais. Ma petite sœur, elle... Elle est morte dans l'ambulance à la suite d'une hémorragie interne.

Amy avait dû prendre une pause. Pour remettre ses idées en place.

— Des fois, j'imagine ce qui a pu causer l'accident. Ma mère devait sans doute demander à mon frère de s'attacher, comme d'habitude. Et mon frère a dû répondre de manière grossière à ma mère et ça a fait enrager mon père, qui a dû quitter la route des yeux un moment. C'est le scénario le plus plausible, mais ça n'excuse pas ce qu'*il* a fait.

— *Il*?

— Mon chum... C'est lui qui était dans l'autre voiture.

J'arrive très bien à visualiser l'expression qui a dû s'afficher sur le visage d'Adams. Un mélange d'incrédulité et de doute, comme s'il n'arrivait pas à en croire ses oreilles.

— J'ai visionné presque tous les films de ce putain de club vidéo. Presque tous ! Et dans aucun des films, il y a une histoire aussi débile ! Et tu sais pourquoi ? Parce que personne ne peut décemment croire que c'est crédible, parce que c'est trop tiré par les cheveux. C'est trop horrible comme coïncidence. Les gens ne peuvent pas le croire... Mais c'est arrivé. À moi... Mon chum a survécu. Quelques blessures, mais rien de grave. Une semaine à l'hôpital, c'est tout. À sa sortie, il n'a pas arrêté de m'appeler pour s'excuser. Il voulait me voir. Il voulait me présenter ses excuses. Il était sincère, je dois l'admettre. Mais je m'en fichais de sa sincérité. Cependant, j'ai accepté de le voir. Je suis allée le chercher avec la vieille bagnole que mes parents m'avaient donnée pour mes seize ans. J'ai dit que je voulais lui parler dans un lieu public. Mais j'ai pris des petites rues secondaires et je me suis mise à rouler très vite et à prendre les virages serrés. Je crois qu'il commençait à paniquer. Il me criait qu'il voulait sortir. Je n'entendais rien. Je ne focalisais que sur le moment opportun pour tout lâcher. Et enfin, au bout de quelques tournants, j'ai vu le virage parfait. J'ai lâché le volant et j'ai détaché rapidement la ceinture de mon chum, tout en appuyant sur l'accélérateur. On a percuté l'arbre. Il a traversé la vitre. J'ai eu deux côtes fracturées et des points de suture sur le front.

C'est sans doute à ce moment qu'Adams avait dû remarquer une fine cicatrice blanche sous la frange d'Amy. Depuis qu'elle m'a tout raconté, je ne peux m'empêcher de fixer sa cicatrice chaque fois que je la regarde.

— Il est mort et pas moi. Je le regrette. Je voulais mourir. Mon but n'était pas seulement de me venger de mon chum, mais aussi de moi. C'était de ma faute plus que de quiconque. Mais j'ai échoué. La mort ne veut pas de moi. Je suis dans l'abyme. Je n'ai plus rien. Et je n'ai plus rien à attendre de la vie. Je n'ai pas le droit d'espérer. Je peux juste vivre. Et encore là, je trouve que c'est trop.

Amy avait dû regarder intensément Adams, qui devait se sentir tout petit dans ses souliers. Elle l'avait sans doute regardé de haut quand elle avait réalisé qu'il ne pouvait tolérer ce qu'il venait d'apprendre. Et honnêtement, qui le peut réellement ? Même moi, il m'est difficile de soutenir le regard d'Amy.

— Peux-tu encore dire que tu m'aimes ? avait-elle probablement demandé à la fin.

❧

Ma plus grande peur, c'est qu'elle lui ait tout simplement dit :

— Si tu ne pars pas maintenant, j'appelle la police.

7
La fille à la robe rouge

À Jean-Bernanrd, Amélie,
Patrick, Dominique,
Frédéric, Geneviève, Lauréline,
François, Marie-Hélène,
André, Estelle, Julie-Véronique,
Marie-Monde et Tous les autres
amoureux du swing.
À mercredi soir !

Je n'ai jamais été un homme de talent, que ce soit du côté intellectuel ou artistique. Déjà tout jeune, j'avais compris que mes résultats académiques n'étaient pas satisfaisants. Car pendant que les autres enfants autour de moi apprenaient à lire, à écrire et à compter, moi, je gribouillais. Les mots que j'écrivais étaient illisibles tout comme ceux que je lisais dans les livres scolaires. Seigneur ! Même les chiffres que j'écrivais étaient compliqués à déchiffrer pour mes enseignants. Avant l'âge de dix ans, j'avais compris que mon intelligence ne serait pas mon principal atout. Cette constatation avait fait en sorte que je m'étais ancré dans un timide mutisme. Dans une année scolaire, un professeur pouvait se considérer chanceux si j'avais prononcé plus d'une dizaine de phrases en classe.

La fatalité de mon manque de talent artistique me fut tristement révélée par mes parents. Conscients ou non de l'impact que leurs mots avaient sur moi, mes parents ne cessaient de me répéter, telle une impitoyable tirade, que je n'avais aucun avenir dans le milieu artistique. Tous les instruments que j'osais toucher produisaient immanquablement un son semblable à celui d'un chat qu'on égorge, et quand je me mettais à pousser la chansonnette, on aurait dit que j'avais le superpouvoir de faire saigner les oreilles des gens autour de moi.

Je comprenais mes parents de vouloir préserver le monde de mon incapacité musicale, mais cela ne m'empêchait pas d'en souffrir cruellement. J'adorais la musique... Cependant, loin de me décourager, j'avais décidé de tâter les autres options artistiques qui s'offraient à moi. Malgré tout, au dire de mes parents, j'étais sans espoir. *Irrécupérable*. C'est un mot que j'ai appris très jeune de leur bouche. Un mot dur. Un mot cruel qui me hantait le soir avant de m'endormir. Un mot que je voyais sur mon front lorsque je me regardais dans le miroir. Ils ne me l'avaient dit qu'une seule fois, mais il résonnait dans chacune de leurs paroles :

— Le théâtre ? Tu ne sais pas jouer.

— Écrivain ? Tu fais plein de fautes.

— La danse ? Ne sois pas stupide, Claude. Tu n'as aucun rythme.

Bref, je n'avais aucun talent, aussi infime soit-il.

Je les ai crus.

Et je les crois encore.

Sans vraiment l'accepter, j'avais fini par m'habituer à l'idée de n'être qu'une personne ordinaire et sans particularité. Une image floue dans la vie des gens, qu'on voyait du coin de l'œil et qu'on oubliait aussitôt passée. C'était plus simple de se contenter de vivre dans l'ombre plutôt que de se battre pour vivre sous la lumière du projecteur.

Mais elle arriva...

Tout a changé lorsque je la vis pour la première fois. Elle. La fille à la robe rouge. Telle une déesse venue chasser mes sombres inquiétudes de sa main étincelante, elle est apparue dans ma vie dans un éclair lumineux sous le son d'une trompette et d'une contrebasse endiablée. Lorsque mes yeux se sont posés sur elle, je décidai d'arrêter de me contenter de mon statut d'homme sans talent. Je voulus être spécial. Comme elle.

❧

Certaines personnes n'osent pas avouer s'être rencontrées dans un bar. Il y a, apparemment, quelque chose de honteux à cela.

Moi, jamais je ne penserais à cacher cet élément si important. Car ce bar-là était magnifique. L'extérieur semblait fade, perdu entre deux immeubles au coin d'une intersection ordinaire, mais une fois les portes traversées, on prenait conscience de sa saveur unique. Entre les solos de batterie et de saxophone, entre deux pintes de rousse, entre les longs trémolos de la chanteuse qui poussait la note comme si sa vie en dépendait, et entre les pas de danse qui éveillaient en moi une admiration sans borne, c'était elle qui prenait toute la place, la fille à la robe rouge.

Si le bar avait été un tableau, elle aurait été la muse, une Joconde des temps modernes.

Je devais cependant rendre justice aux autres danseurs qui se trouvaient autour d'elle. Ils étaient tous bons. Je pouvais passer des heures à les observer danser en synchronisme avec la musique du groupe sur la scène. Je m'émerveillais chaque soir devant la souplesse de leurs pas, leurs pieds flottant sur le plancher de danse comme s'ils marchaient sur un nuage.

Malheureusement pour eux, dès que la fille à la robe rouge mettait un pied sur scène, à mes yeux, ils devenaient tous maladroits et gauches. C'était comme si cette fille avait le pouvoir d'aspirer leur énergie. Alors que les autres danseurs se contentaient de danser au rythme de la musique, on aurait dit que pour elle, c'était la musique qui s'harmonisait à sa danse. J'avais l'impression que la clarinette était guidée par le mouvement de ses bras, que la batterie trouvait sa cadence sous ses pas et que le saxophone traduisait ses mouvements de hanches langoureux. Quand elle dansait, il n'y avait d'yeux que pour elle sur la piste de danse. Un respectueux silence d'extase prenait le bar, comme si le moindre murmure pouvait briser l'enchantement divin qu'elle produisait.

J'enviais ceux qui la faisaient danser. Je jalousais leur chance de faire virevolter les pans de sa robe avec grâce, me titillant du regard à la fantaisie d'un trésor, d'une gorgée de bonheur pour l'assoiffé que j'étais. Mais je n'étais jamais rassasié.

Ce bar, ce beau bar, était mon paradis et mon enfer. Charmé par les mélodies jazz, par la puissance de la voix de la chanteuse, des frissons me parcouraient l'échine alors que je regardais ma belle fille à la robe rouge sans pouvoir la toucher. Chaque soir, lorsque le groupe quittait la scène et que les danseurs de swing repartaient chez eux, je me sentais toujours un peu plus vide.

Un soir, j'eus une illumination lorsque le maître de cérémonie, Pat Evans, fit son annonce quotidienne.

— Bonsoir, mesdames et messieurs. Je vous rappelle qu'à partir de vingt-trois heures, la pinte de bière est à quatre dollars. Je vous rappelle aussi que les cours de swing fondation 1 débutent cette semaine. N'hésitez pas à vous inscrire.

Le reste de son annonce se perdit dans les limbes de mon esprit. Je venais de comprendre comment je pourrais toucher celle qui dansait chaque nuit dans mes rêves.

« La danse ? Ne sois pas stupide Claude. Tu n'as aucun rythme. » Je tentai d'oublier les paroles que mes parents me répétaient lorsque j'étais gamin. Ce n'était qu'un écho. Je devais vivre dans le présent.

— ... swing that sh**t !

❦

Les premiers cours auraient pu freiner mes ardeurs. Cela aurait pu entacher mon désir de la faire danser. Heureusement pour moi, il n'en fut rien. Je savais que j'étais destiné à la faire danser. Même si j'étais handicapé par mon manque de rythme, le sentiment que je ressentais en apprenant à danser me gonflait d'orgueil. Je me sentais spécial.

Pourtant, ce n'était pas une promenade de santé. J'étais incapable de compter les pas et de faire bouger mes pieds en même temps. Je n'arrivais pas à faire tourner mes partenaires quand je le voulais. Pour ce qui était de la musique... On aurait dit que j'étais le seul à ne pas comprendre la rythmique musicale. Qu'est-ce que mes professeurs voulaient dire par une mélodie en huit temps ? Où entendaient-ils ces temps ? Est-ce la basse, la batterie ou la trompette qui indiquaient les temps ?

Je n'ai jamais su.

Je ne sais pas encore.

Mais tout cela ne parvenait pas à me décourager. J'étais toujours fidèle au poste, débordant d'énergie et de volonté. Si je n'avais pas le talent, j'avais la passion! Je m'accrochais à mon rêve comme à une bouée de sauvetage.

Je danserais avec la fille à la robe rouge. Je la ferais virevolter. Elle me sourirait comme elle le faisait avec tous ceux qui la faisaient danser et je deviendrais alors vraiment spécial.

> — Argh! Mais pourquoi est-ce que tu ne tournes pas? pensais-je en essayant de faire un *sweetheart* à ma partenaire.

❧

Avant d'aller au bar, chaque soir, je me pratiquais à l'inviter à danser. Seul, dans le confort de mon salon, je répétais les petits pas de danse que j'avais appris dans mes cours. Dans ces moments-là, je me trouvais assez bon pour qu'elle accepte de danser avec moi. Mais dès que je me trouvais devant les portes vitrées du bar, j'entrevoyais les autres danseurs sur la piste et la réalité de mon manque de talent me fouettait brutalement le visage. Je revoyais le mot IRRÉCUPÉRABLE se refléter sur mon front et je perdais tout courage. Je passais donc le reste de la soirée accoudé à une table, en sirotant ma bière, contemplant du regard la belle fille à la robe rouge et enviant l'aisance des autres danseurs.

J'admirais leur talent, mais ce que j'admirais encore plus, c'était la capacité qu'ils avaient à donner l'impression que c'était facile. Surtout elle. Voilà pourquoi je me dégonflais chaque soir. Car si je devais lui faire honte sur la piste de danse du bar, dans son temple, jamais je ne pourrais me le pardonner. Je serais banni. Un paria. Et je perdrais toutes chances de devenir spécial.

Un jour, me répétais-je. Un jour, je brillerais sous le projecteur avec elle.

❧

On peut en deviner beaucoup sur quelqu'un par la manière dont il danse. Voilà pourquoi danser est un acte si intime. C'est s'exprimer sans paroles, sans mots, sans images. C'est montrer ce qu'on a au fond de soi sans intermédiaire. On peut même danser sans musique. Je ne veux pas commencer un débat sur le sujet, mais, selon moi, la danse est l'art le plus difficile et personnel.

Pour la poésie, la littérature, la peinture, la sculpture ou la musique, l'artiste peut se cacher derrière sa création, car c'est l'œuvre qui importe et qui sera critiquée. Certes, c'est l'artiste qui est visé, mais comme on ne connaît de lui que son nom, il peut toujours le changer et recommencer.

Pour le théâtre et le cinéma, il est facile de porter le blâme d'un échec sur quelqu'un d'autre. Ce sont des arts si complexes qu'ils ne peuvent exister à eux seuls. Le film est pourri? Vous avez le choix! Mauvaise réalisation, mauvais scénario, mauvais acteurs, mauvais montage, mauvaise musique, etc. La pièce de théâtre était décevante? Mauvais éclairage, mauvaise mise en scène, mauvais dialogues, mauvaise interprétation, etc.

Mais la danse pure et simple... Il n'y a que vous sur scène. On ne peut pas se cacher derrière son œuvre, ni blâmer quelqu'un d'autre pour notre faux pas. On se montre en entier, on se donne en entier. Si on se fait critiquer, c'est notre corps, notre personne qui se fait critiquer. Le spectacle de danse était mauvais? La danseuse n'avait pas de grâce, le danseur n'a pas de rythme, la danseuse est tombée, le danseur a manqué son arabesque, les danseurs n'étaient pas synchronisés, etc.

Parfois, je me réveillais la nuit, en sueur, avec la peur incontrôlable que les gens parviennent à voir à travers moi quand je dansais. Maladroit. Petit. Insignifiant. Sans talent. Irrécupérable.

Dans ces moments-là, où je me sentais redevenir ce petit garçon de dix ans, seule la pensée de la fille à la robe rouge parvenait à m'apaiser. Ça, et la certitude qu'elle parviendrait à voir au travers de moi ce que je n'arrivais pas à voir moi-même.

❦

Je venais de commencer une nouvelle session de swing quand l'impensable se produisit. C'était sa fête ! La fille à la robe rouge. C'était sa fête et la tradition voulait qu'on lui fasse un *birthday jam*. J'avais vaguement entendu le principe dans un de mes cours. La personne fêtée se retrouve au centre de la piste et doit danser avec le plus grand nombre de gens l'espace d'une chanson. Je me disais que cela devait être une routine pour la fille à la robe rouge.

Tout le monde se battait déjà pour danser avec elle l'espace d'une chanson. Elle était dans son élément.

Pat Evans appela la fêtée au centre de la piste et un cercle se forma autour d'elle. Les musiciens entonnèrent les premières notes de la mélodie et la chanteuse Lisa les accompagna tandis que les danseurs se lançaient déjà sur la fille à la robe rouge. Comme à mon habitude, je restais en retrait, tapant des mains en essayant de suivre le rythme. Mais je ne m'étais pas rendu compte que la foule semblait me pousser lentement vers elle. Car sans m'en rendre compte, en un éclair, elle se retrouva à mes bras.

Comment avait-elle atterri là? Elle, ma déesse, ma fille à la robe rouge, entre mes mains maladroites et mes deux pieds gauches, qui me souriait et avait les yeux qui brillaient juste pour moi. J'avais figé. Elle s'en était rendu compte, car son sourire s'était estompé légèrement. Je m'affolai.

Je ne voulais pas qu'elle perde ce sourire. Ce sourire à moi. Alors, sans réfléchir, je m'étais mis à danser, en priant intérieurement de ne pas l'embarrasser le jour de sa fête. Si cela devait arriver, je ne serais pas seulement banni, je serais foudroyé sur-le-champ.

Mais...

Ô joie! Ô miracle! Ô euphorie!

Elle suivait mes pas. Sous mes directives, je la faisais tourner et je voyais virevolter les pans de sa robe sous les yeux des autres, jaloux et assoiffés de sa beauté. Enfin! J'étais sous le projecteur avec elle. Des vertiges de bonheur m'avaient assailli, rendant mes jambes molles et mes mains moites. Mais peu m'importait; elle me souriait. Sa main se serrait contre la mienne, ses grands yeux bruns étaient posés sur moi. J'étais spécial.

Je le ressentais. C'était comme si ce vide que j'avais toujours eu en moi n'était plus. La fille à la robe rouge était le morceau manquant de mon être. Ce fut la plus belle minute de ma vie, car à mon triste regret, toute bonne chose a une fin.

Sans vergogne, un autre danseur pas du tout spécial lui attrapa la main et la saisit entre ses bras, me laissant en plan sur la piste de danse, dans l'ombre. J'étais revenu dans mon élément, mais cette fois-ci avec un goût amer. Comment pouvait-il en être autrement après m'être délecté de la plus douce saveur qui existait? Après avoir été sous les projecteurs, on ne pouvait plus se contenter de la froideur de l'obscurité.

Pour la première fois de ma vie, j'avais senti la fureur de me battre pour rester sous la lumière. Ce que je fis.

Encore aujourd'hui, je ne suis pas complètement sûr de l'ordre chronologique des événements. Mais je peux affirmer avec certitude que je suis celui qui a donné le premier coup.

J'ai senti la mâchoire de cet être impur rebondir contre mes phalanges, me tachant de son sang sale. L'onde de douleur avait remonté jusqu'à mon épaule, mais mon exclamation de douleur fut masquée par le cri de surprise de la fille à la robe rouge. Le band avait maladroitement cessé de jouer. La trompettiste fit même une fausse note semblable à celle que j'arrivais à produire. Cela m'avait fait sourire. Je devais avoir l'air d'un dément. Mais j'étais sous les projecteurs. Avec la fille à la robe rouge. Ma déesse.

Le bar était maintenant silencieux, incrédule, comme si tous les occupants n'arrivaient pas encore à en croire leurs yeux.

En une seconde, j'eus la révélation sur l'étendue de mon pouvoir. J'avais la puissance de faire taire le bar. Si ma belle fille à la robe rouge lui donnait la vie, moi je donnais la mort. Elle était le yin et j'étais le yang. À nous deux, nous pourrions régner main dans la main sur les nuits de danses du bar, tels des empereurs sur un royaume.

Cependant, ce n'était pas tous nos disciples qui avaient été illuminés par cette révélation, car je m'étais rapidement retrouvé au sol. Les infidèles ! Ils n'étaient pas encore prêts à voir leur déesse prendre un compagnon. Ils la voulaient pour eux seuls. Ils la voulaient encore pure. Mais ils ne comprenaient pas que c'était inévitable. C'était ma destinée, notre destinée.

Je m'étais débattu comme le diable. Ils avaient dû se mettre à cinq pour me maintenir au sol. La police était arrivée peu de temps après. En m'escortant jusqu'à la sortie, j'ai pu lancer un dernier regard vers ma belle fille à la robe rouge. Elle pleurait. Mon cœur se brisa. Je voulais la serrer dans mes bras et embrasser ses larmes jusqu'à ce qu'elles disparaissent.

Ne pleure pas ma belle, voulais-je lui dire. Tout finira pas s'arranger. Nous nous retrouverons.

❦

On m'interdit l'accès au bar. On me bannit. Mais cela n'entacha pas mon désir. Personne n'avait dit que se battre était un combat d'un soir. C'était long et ardu, rempli d'obstacles et d'embûches. Maintenant que ma destinée m'était claire, je n'allais pas y déroger.

Je vois toujours la fille à la robe rouge. À distance, malheureusement, mais le souvenir de notre danse me permet de supporter la douleur de cette séparation. Dans l'obscurité, j'épie ses mouvements. J'attends le bon moment pour notre retour glorieux sous les projecteurs. Et c'est pour bientôt. Elle fait partie d'une troupe maintenant. Elle part pour New York. Loin du bar, loin des infidèles, plus rien ne pourra se mettre au travers de notre chemin. La situation n'est pas irrécupérable pour l'être spécial que je suis. Tant que j'aurai la passion...

— It don't mean a thing if it ain't got that swing!

FIN

Marquis imprimeur inc.

Québec, Canada
2010